C000212041

CURSO DE ESPAÑOL COMERCIAL

BLANCA AGUIRRE
CONSUELO HERNANDEZ

CURSO DE ESPAÑOL COMERCIAL

SOCIEDAD GENERAL ESPAÑOLA DE LIBRERIA, S.A.

Primera edición, 1987
Segunda edición, 1988
Tercera edición, 1989

Produce: SGEL-Educación
Marqués de Valdeiglesias, 5 - 28004 MADRID

Maqueta y gráficas: **Estudio 5**
Fotografías: **Archivo Estudio 5 y EFE**
Cubierta: **Luis Carrascón**

PROCEDENCIA DE LOS DOCUMENTOS

• «Momento económico», n.° 2, 1984, Banco Central. • «El resurgimiento del Trueque». *El Empresario,* n.° 49, junio 1985. • «El oro, valor refugio», Gabinete de estudios de Caja Madrid. • «La quiebra y suspensiones de pagos empiezan a bajar claramente, después de muchos años de aumento», *El País,* 12.5.1985. • «Tecnología por Materias Primas», *Export. Import.,* n.° 5, abril-mayo 1980. • «Represión del Fraude Fiscal», *Ejecutivos Financieros,* n.° 6, dic. 1984. • «Del ITE al IVA», M.° de Economía y Hacienda, 1985. • «Habrá que coleccionar las facturas», *El País,* 31.3.1985. • «Modalidades de Seguros», *Ejecutivos financieros,* nov. dic. 1984. • «El reaseguro, una solución segura», *Diario 16,* abril 1985. • «Coaseguros en la CEE», *La Europa de los Doce,* Banco Central. • «La política de Promoción de las Exportaciones» y «Ferias y Misiones comerciales», INFE, 1985. • «Hacia la creación de la Comunidad Económica Europea», Comunidad Europea, Documentos, 84. • «Documentario», *El Empresario,* n.° 49, junio 1985. • «Crédito a la Exportación», *Expansión comercial,* INFE. • «Moda y diseño». INFE. • «El aceite de oliva. Un lujo culinario». *Ronda Iberia,* Julio 1984. • «Producción Agrícola», *Mercaconsumo,* n.° 18, noviembre 1985, y n.° 12, abril 1985. • «Marketing», IRESCO, Gestión de Marketing en la Empresa Comercial. • «Hiper, super, mini ... y el resto», *Comunidad Europea,* mayo 1984. • «Tipología de las Marcas», IRESCO. • «Denominación de origen», *Mercaconsumo,* n.° 18, noviembre 1985. • «España en la CEE», *Comunidad Europea,* n.° 216-217. • «Medios de transporte» y «Los transportes de la Comunidad Económica Europea», *La Europa de los Doce,* Banco Central. • «El transporte de mercancías», IRESCO y *Extracto del Curso de Derecho Mercantil,* Cámara Oficial de Comercio e Industria de Madrid. • «El transporte en contenedores», *Ya,* mayo 1985.

© Blanca Aguirre y Consuelo Hernández, 1987
© Sociedad General Española de Librería, S. A., 1987
Avda. Valdelaparra, 39. ALCOBENDAS (Madrid)

ISBN: 84-7143-358-3
Depósito legal: M. 5.637-1989
Impreso en España, Printed in Spain.

Compone: Grafilia, S. L.
Imprime: Cronocolor.
Encuaderna: F. Méndez.

INDICE

XII. EL TRANSPORTE

Págs.

APENDICES

Presentación

El presente volumen ha sido pensado con el propósito de proporcionar un instrumento de ayuda al profesor y a los estudiantes de español con un nivel avanzado de esta lengua y que precisan profundizar en los conocimientos que tienen de ella con un fin más específico: desenvolverse por razones profesionales en el mundo de las relaciones comerciales.

El texto está dividido en doce unidades temáticas, que corresponden a doce sectores importantes del mundo de la economía.

Cada unidad temática sigue una estructura similar: varias lecturas, con sus correspondientes ejercicios, que tienen como objetivo consolidar las estructuras ya conocidas y asimilar los términos nuevos mediante técnicas de comprensión, interpretación y adquisición del vocabulario específico, y ejercicios de expresión oral y escrita y de carácter práctico.

Los textos de las lecturas son originales o han sido adaptados de artículos de periódicos, revistas especializadas o publicaciones oficiales, con apartados especiales dedicados a la Comunidad Económica Europea, dada la reciente adhesión de España a ella.

Igualmente se incluyen reproducciones de material (documentos auténticos y determinados cuadros con información suplementaria), con el fin de conseguir la familiarización del estudiante con los procesos operativos más frecuentes en este campo.

Los términos nuevos que van apareciendo a lo largo de la lectura figuran definidos al margen (en cursiva); su traducción al inglés, francés y alemán se encuentra en el Apéndice D), Glosario multilingüe, junto con otros más específicos que aparecen a lo largo de la obra (en negrita) y que, por su importancia, hemos considerado conveniente incluir. Cada cuatro unidades hay un apartado de Consolidación, para que el profesor lleve a cabo una evaluación de los conocimientos adquiridos por el alumno en el transcurso de las mismas, o para que el alumno compruebe por sí mismo o se autocorrija en el capítulo correspondiente.

Idéntico propósito tiene la Clave de Soluciones de los ejercicios, con excepción de aquellos que son de respuesta libre (opiniones, debates, informes, etc.). La obra se completa con cuatro Apéndices: A) Correspondencia y comunicaciones, B) Abreviaturas comerciales, C) Siglas, y D) Glosario multilingüe.

Por último, desearíamos hacer constar nuestro agradecimiento a todas aquellas personas, entidades y organismos que nos han prestado su colaboración y facilitado el material que aparece reproducido en esta obra.

Las autoras.

I. La economía

1. La economía en general

El hombre tiene una serie de necesidades que trata de satisfacer, para lo cual se requiere el uso de determinados medios que se pueden encontrar en cantidades mayores o menores de lo que se precisan. Cuando estos medios se hallan en cantidades limitadas se conocen con el nombre de *bienes económicos,* y la actividad que el hombre realiza para cubrir sus necesidades con ellos se llama *actividad económica.*

Bien (económico): todo aquello, material o inmaterial, que satisface una necesidad o un deseo humano.

Actividad económica: conjunto de actos realizados por el hombre para satisfacer sus necesidades mediante la producción y el intercambio de bienes y servicios.

La economía es la ciencia que estudia las actividades por las cuales el hombre obtiene los elementos necesarios para la satisfacción de sus necesidades.

Desde la Antigüedad, los problemas económicos han recibido una especial atención. En 1615, Monchrétien de Vateville publicó su *Traité de l'Economie Politique,* en el que completaba la denominación anterior: economía política. A partir de entonces, con este nombre se establece la diferencia entre la economía de los grupos o entes políticos y la economía de la empresa, de la familia o del individuo.

Todos los sistemas económicos deben resolver tres cuestiones básicas: qué producir, cómo producirlo y cómo distribuir la producción.

El fisiocratismo fue el sistema que advirtió en principio que la vida económica tiene unas leyes propias, y se dedicó a estudiarlas; fue esta escuela la que creó el primer sistema teórico de economía. Sin embargo, a fines del siglo XVIII sus fundamentos son reemplazados por los de la

INVESTIGACION
DE LA NATURALEZA
Y CAUSAS
DE LA
RIQUEZA DE LAS NACIONES.

Obra escrita en Inglés por ADAM SMITH, Doctor en Leyes, é Individuo de la Real Sociedad de Londres y de Edimburgo: Comisario de la Real Hacienda en Escocia: y Profesor de Filosofía Moral en la Universidad de Glasgow.

La traduce al Castellano el Lic. D. JOSEF ALONSO ORTIZ, con varias Notas é Ilustraciones relativas á España.

TOMO I.

EN VALLADOLID:
En la Oficina de la Viuda é Hijos de Santander.
Año de MDCCXCIV.

Precio: valor mercantil de un bien o de un servicio.

Distribución: conjunto de operaciones dirigidas a colocar los productos al alcance de los consumidores.

Consumo: proceso de adquisición y aplicación de bienes y servicios para la satisfacción de necesidades o deseos.

Oferta: puesta de bienes o servicios a disposición del mercado. Por extensión: volumen de bienes y servicios puestos a disposición de la demanda.

Demanda: cantidad de un bien o un servicio que puede ser adquirida en un mercado en cierto precio definido y durante un espacio de tiempo dado.

Rendimiento: producto o utilidad que da una cosa.

Utilidad: calidad de aquello cuyo uso es apreciado por el agente económico; también, cualidad de los bienes para satisfacer necesidades.

escuela clásica, con lo cual la economía política se constituye como ciencia independiente. Esta escuela, cuyo fundador es Adam Smith, seguido posteriormente por David Ricardo y Thomas Robert Malthus, tuvo una notable influencia en el pensamiento de la época. La hipótesis básica del sistema clásico es que el hombre persigue únicamente su propio interés.

Para los clásicos, los fenómenos esenciales de la economía son el valor y el *precio,* que determinan tanto la producción como la *distribución,* y el *consumo;* la ley de la *oferta* y la *demanda,* y la del *rendimiento* decreciente de la tierra. La escuela clásica se caracteriza por la eliminación del factor moral, su falta de sentido histórico y, especialmente, por su liberalismo, oponiéndose rotundamente a que el Estado intervenga en la economía.

En oposición a la escuela clásica se produce una reacción iniciada por la escuela ética o romántica, interesada en que se tengan en cuenta las fuerzas éticas, y por la escuela histórica.

La orientación individualista y teórico-abstracta de los clásicos ha sido recogida por la escuela de la *utilidad* límite o utilidad marginal, que ha ejercido su influencia en el pensamiento económico moderno.

Ejercicios

1) Conteste las siguientes preguntas:
   a) *¿Qué se entiende por economía?*
   b) *¿Cuáles son las cuestiones básicas que debe resolver cualquier sistema económico?*
   c) *¿Qué diferencias básicas existen entre la escuela clásica y la ética?*

2) Diga si las siguientes frases son verdaderas o falsas (V/F).
   a) *El fisiocratismo creó el primer sistema teórico de economía.*
   b) *La escuela clásica queda sustituida por el fisiocratismo.*
   c) *El fundador de la escuela clásica fue Adam Smith, seguido posteriormente por D. Ricardo y T. R. Malthus.*
   d) *Para los clásicos, la ley del rendimiento decreciente es uno de los fenómenos esenciales de la economía.*
   e) *La escuela romántica es una síntesis de la clásica y la histórica.*
   f) *La escuela de la utilidad límite o marginal ha ejercido su influencia en el pensamiento económico moderno.*

2. Política económica

La política económica es el conjunto de medidas que, originadas por los principios que rigen la teoría económica, se han de aplicar en un caso concreto para obtener los resultados de tipo económico que se deseen.

Resulta difícil señalar los fines concretos de la política económica, pero se pueden clasificar en cinco grupos:

Renta Nacional: conjunto de bienes y servicios producidos y prestados por la comunidad nacional en un período de tiempo determinado.

a) El primero de estos fines tiene carácter económico: utilizar todos los medios disponibles para elevar al máximo la *renta nacional.*

b) y c) El segundo y tercero son de carácter económico-social: modificar la distribución de la renta, evitando desigualdades, y solucionar el problema de la mano de obra, así como intervenir en las relaciones entre los diferentes grupos sociales.

d) y e) El cuarto y quinto son de carácter político: la defensa nacional y las relaciones económicas internacionales.

3. Ciclo económico

Se ha observado que, periódicamente, se repiten situaciones económicas similares. Esta repetición de fenómenos en intervalos de tiempo más o menos regulares constituye un ciclo económico, que pasa por una serie de fases que, en última instancia, se reducen a: *prosperidad, depresión, crisis,* recesión y recuperación.

En estas oscilaciones o fluctuaciones influyen diversos factores, y los principales de ellos son: nivel de precios, comercio internacional, *poder adquisitivo* y población. A su vez, estas oscilaciones varían sensiblemente, dependiendo de su duración, y entonces sus efectos son totalmente diferentes. Podemos distinguir cuatro oscilaciones:

a) Cíclicas: cuando se repiten las situaciones económicas en un período de tiempo llamado en economía «largo plazo».
b) Seculares: se presentan a intervalos de tiempo tan prolongados, que de hecho lo que manifiestan son sólo tendencias.
c) Estacionales: se presentan en estaciones o épocas del año y como consecuencia de éstas.
d) Erráticas: tienen tan poca repercusión en el proceso económico que, cuando hacen su aparición, la totalidad de la industria prefiere no variar su nivel de trabajo y producción, y esperar a que la situación pase.

La representación gráfica de los ciclos se hace con una línea *sinusoidal,* en la cual las partes ascendentes de la curva representan las dos fases del resurgimiento y de la prosperidad; el punto máximo, la crisis, y la parte descendente, la depresión.

Prosperidad: curso favorable de las cosas; bienestar material.

Depresión: fase del ciclo económico, característica de las economías capitalistas, señalada por la flexión de la producción, una cierta tendencia a la baja de los precios y el aumento del paro forzoso.

Crisis (económica): momento decisivo y grave en un proceso económico. Ruptura del equilibrio entre la oferta y la demanda de bienes y servicios, lo que genera un ciclo depresivo de la coyuntura económica.

Poder adquisitivo: cantidad de bienes y servicios que determinada suma de dinero permite adquirir.

Sinusoidal (línea): curva plana que representa las variaciones del seno cuando varía el arco.

Ejercicios

1) Escriba todas las palabras que recuerde que tengan la misma raíz que:

a) *económica*
b) *poder*
c) *adquisitivo*
d) *obra*
e) *elevar*
f) *nacional*

2) Explique los siguientes términos, según su sentido en el texto:

a) *distribución*
b) *evitando*
c) *solucionar*
d) *mano de obra*
e) *marcados*
f) *métodos*

3) Señale en cada una de las frases la opción correcta.

a) Se ha observado que:

1) *casi nunca se repiten situaciones económicas similares.*
2) *siempre se repiten situaciones económicas similares.*
3) *de tiempo en tiempo se repiten situaciones económicas similares.*
4) *con frecuencia se repiten situaciones económicas similares.*

b) Las fases de un ciclo económico son:

1) *economía, depresión, crisis, recuperación.*
2) *depresión, recesión, recuperación, prosperidad.*
3) *crisis, recuperación, depresión, poder adquisitivo.*
4) *recuperación, depresión, distribución, recesión.*

c) Algunos factores que influyen en estas oscilaciones son:

1) *distribución, población, renta nacional, crisis.*
2) *comercio internacional, recesión, población, nivel de precios.*
3) *comercio internacional, población, poder adquisitivo y nivel de precios,*
4) *nivel de precios, poder adquisitivo, renta nacional y comercio internacional.*

SECTORES ECONOMICOS

SECTOR PRIMARIO: formado por actividades relacionadas con los recursos naturales *(agricultura, minería, pesca y silvicultura)*.

SECTOR SECUNDARIO: sector de la transformación de los productos primarios *(industria manufacturera, industria del metal, industria naval, industria papelera, industria química, industria de la automoción, construcción)*.

SECTOR TERCIARIO: sector de *servicios (transportes, educación, Banca, Bolsa, seguros, turismo)*.

4. Momento económico

El año 1983 se presentaba como un reto esperanzador del país para relanzar la actividad económica e iniciar la recuperación que anticipaban los países industriales.

Este deseo colectivo pareció confirmarse en un primer período del año, con efectos positivos sobre los precios, *desempleo,* **balanza de pagos** y expansión del índice industrial.

El sector primario, agricultura y pesca, se estima que ha crecido, en términos reales, el 4 %, caracterizándose como el grupo más dinámico. Sin embargo, dado que su proporción en el *PIB* está en torno al 6,3, la repercusión al *valor añadido* es de 0,26 puntos.

La climatología ha perjudicado muy especialmente al sector agrícola. La sequía constituye, desde hace tres años, un azote permanente para el campo, aunque la interrupción de las lluvias de otoño ha favorecido las siembras.

Resulta destacable el sector de la automoción ligera, que con una producción de 1.142.000 vehículos ha exportado el 56 %, mientras la demanda interna parece estabilizada, en torno a 500.000 automóviles. La producción de vehículos industriales, en descenso, ha tenido un grupo, los vehículos todo terreno, en franco crecimiento.

El sector de la construcción no ha ofrecido un resultado optimista, pues se ha experimentado un descenso en obras oficiales, así como un aumento de la competencia.

La actividad de la economía española durante 1984 ha mostrado un importante paso adelante.

El sector primario ha sido el más destacado como generador de *rentas,* con una aportación que, en términos reales, ronda el 10 %. Las fuertes alzas en las cosechas de cereales han constituido el factor predominante del año agrícola, acompañadas de un nulo crecimiento de la producción ganadera y del subsector forestal. La regularidad del régimen de lluvias ha sido de los factores más beneficiosos de la agricultura.

La construcción retrocede en valores reales en torno al 4 %, aunque las expectativas de los últimos meses presentaban un mayor optimismo, derivadas de los planes previstos de contratación oficial y al hecho de haberse posibilitado la financiación de las viviendas.

El sector de la automoción ligera, con una producción de 1.176.893 vehículos, 3,1 % más que en 1983, ha exportado en torno al 61 %, mientras el consumo permanece estabilizado, por tercer año consecutivo, en torno a 450.000 automóviles.

«Momento Económico» (B. Central). (Extracto del número extra, 2-1984).

Desempleo: carencia de un puesto de trabajo.

PIB: Producto Interior Bruto. En Contabilidad Nacional, conjunto de bienes y servicios producidos en el territorio nacional, cualquiera que sea la nacionalidad de los productores.

Valor añadido: en Contabilidad Nacional, diferencia para un productor entre el valor de la producción, calculada al precio del mercado, y el de su consumo intermedio.

Renta: utilidad o beneficio que rinde una cosa, o bien lo que se cobra de ella.

Ejercicios

1) Lea cuidadosamente los dos resúmenes precedentes sobre la economía española, correspondientes a 1983 y 1984, y escriba un informe comparativo respecto a los sectores económicos a que hacen referencia.

2) Explique los siguientes términos:

a) *nulo*
b) *alza*
c) *previsto*
d) *posibilitado*
e) *financiación*
f) *consecutivo*

3) Señale cuáles son los factores básicos de la economía que tienen una influencia positiva (P) y cuáles negativa (N), y a continuación dé sus razones por escrito:

a) *Fuerte desarrollo de las exportaciones con incidencia importante en la disminución del* déficit *de la balanza comercial.*
b) *Expansión del déficit público.*
c) *Descenso del ritmo de créditos.*
d) *Sustancial aumento de las reservas exteriores.*
e) *Atonía en la demanda interior.*
f) *Contención de la* inflación *y salarios.*
g) *Incremento del* paro.
h) *Aumento del* ahorro.
i) *Expansión de los excedentes empresariales.*

Déficit: lo que falta al haber o caudal existente para nivelarse con el fondo o capital, y a las ganancias y mercancías para su equilibrio con los gastos y consumo, respectivamente.

Inflación: notable alteración general de los precios provocada a causa de un aumento desproporcionado de la cantidad de dinero en circulación.

Paro: cese involuntario y prolongado en el trabajo, debido a la imposibilidad de encontrar empleo.

Ahorrar: reservar alguna cantidad del gasto ordinario.

4) Escriba el número ordinal correspondiente al cardinal que está entre paréntesis:

a) *Hoy es mi .... día de vacaciones* (1).
b) *La .... parte de su fortuna* (10).
c) *No me creo ni la .... parte de tu historia* (4).
d) *Este es el piso ....* (21).
e) *No lo consiguió hasta el .... intento* (9).
f) *Se celebra el .... aniversario* (5).
g) *Creo que llegó en el puesto ....* (34).

ORDINALES

1.º	primero	**12.º**	duodécimo	**50.º**	quincuagésimo
2.º	segundo	**13.º**	decimotercero	**60.º**	sexagésimo
3.º	tercero	**14.º**	decimocuarto	**70.º**	septuagésimo
4.º	cuarto	**15.º**	decimoquinto	**80.º**	octogésimo
5.º	quinto	**16.º**	decimosexto	**90.º**	nonagésimo
6.º	sexto	**.......**		**100.º**	centésimo
7.º	séptimo	**20.º**	vigésimo	**1.000.º**	milésimo
8.º	octavo	**21.º**	vigésimo primero	**...........**	
9.º	noveno	**22.º**	vigésimo segundo	antepenúltimo	
10.º	décimo	**30.º**	trigésimo	penúltimo	
11.º	undécimo	**40.º**	cuadragésimo	último	

5. Correspondencia

A) Solicitud de información/documentación.

Organismo / Departamento (Fecha)
Centro de Documentación

Muy señores míos:

Por razones profesionales me interesaría recibir periódicamente la información/documentación que sobre .... publique su Organismo/Departamento/Centro de Documentación.

Les ruego me informen acerca de los trámites que debo seguir para ello.

Atentamente le saluda,

(Firma)

B) Boletín de suscripción.

Deseo suscribirme a a partir del número .... y por 12 números

El importe lo haré efectivo.

Giro postal nº .... □ Talón nominativo □ Domiciliación bancaria □

Contra reembolso □ (más 100 ptas. por gastos de cobro).

NOMBRE y APELLIDOS ....

CALLE ....Nº ....TEL. ....

POBLACION ....PROVINCIA ....D.P. ....

Los ejemplares quiero recibirlos por correo:

□ Normal □ Aéreo □ Certificado

ACTIVIDAD QUE PRACTICA

Ruego al Sr. Director del Banco ....Sucursal nº ....

Domicilio ....

Ciudad .... que atienda en mi nombre en la cuenta nº ....

Titular .... el recibo ....

de EDITORIAL en concepto de suscripción anual, hasta nueva orden a la revista.

Fecha Firma

Libre appel/
lat Consolat de mar. Noua/

ment estampat e corregit. Affegits los capitols e
ordinacions dels drets del General. E del
dret del pes del senyor Rey. Ab altres
coses necessaries: les quals fins
al present no eren estades im
primides.

II. El comercio

1. El comercio en general

Se puede decir, sin temor a equivocarse, que el comercio es tan antiguo como el hombre; ya en la prehistoria se encuentran vestigios de actividades comerciales o mercantiles. El sistema utilizado en un principio era el de *trueque*, mediante el cual se intercambiaban *materias primas*, objetos de adorno y algunos productos elaborados por el hombre.

Trueque: intercambio directo de un bien por otro.

Materia prima: la que puede ser transformada, en una industria o por medio de la fabricación.

En cuanto al comercio marítimo, fueron los fenicios, los cartagineses y los griegos los pueblos que se destacan como precursores. Los judíos también tuvieron una gran importancia en este campo.

La actividad *mercantil* fue una profesión muy peligrosa hasta bien entrada la Edad Media, debido a las dificultades del transporte y a la inseguridad de las vías de comunicación. Por ello, se prefería traficar con *mercancías* de gran valor y que pesasen poco: tejidos, especias y metales preciosos. Las mercancías más pesadas (trigo, madera, hierro) se solían transportar por vía marítima.

Mercantil: adjetivo. Mercantilismo: sistema que estima como signo característico de riqueza la posesión de metales preciosos.

Mercancía: todo género vendible.

A lo largo de este período ejercieron un papel preponderante las ciudades italianas de Génova y Venecia, en las cuales se desarrollaron nuevas formas y técnicas auxiliares del comercio: la banca, las operaciones con letras de cambio y la *contabilidad*. Asimismo disfrutaron de gran prosperidad las ciudades alemanas de Ulm y Augsburgo (en esta última se encuentra, en la actualidad, la fábrica de lámparas eléctricas Osram), y Marsella y Barcelona, en Francia y España, respectivamente.

Contabilidad: actividad de registro que tiene como fin ofrecer una información puntual y exacta sobre el valor y la evolución del patrimonio.

El tráfico marítimo de los mares del Norte y Báltico estaba dominado por la Hansa, una confederación de diversas ciudades de Alemania (Hamburgo, Bremen y Lübeck, entre otras), para seguridad y fomento de su comercio.

Los descubrimientos de nuevas tierras alteraron el aspecto de las relaciones internacionales, y a partir del siglo XV, el apogeo comercial pasa a España y Portugal, primero, y a Holanda e Inglaterra después.

En la época contemporánea, debido a distintos motivos (la emancipación de los pueblos de América del Norte y de las colonias hispanoamericanas, y los adelantos técnicos de los medios de transporte y de comunicación, entre otros), el comercio toma un incremento asombroso, ampliándose el círculo de los países que intervienen en el tráfico internacional y aboliéndose los *monopolios* y privilegios comerciales.

Monopolio: privilegio concedido a una persona o empresa para vender o explotar, con carácter exclusivo, alguna cosa en territorio determinado.

En la actualidad, el comercio ha adquirido un desarrollo enorme en todos los países. En España, se calcula que el número de personas que tienen relación con tal actividad, ya sea como *mayoristas* o *minoristas*, alcanza la cifra de 1.700.000.

Mayorista: que vende al por mayor.

Minorista: que vende al por menor.

Ejercicios

1) Conteste las preguntas siguientes:

a) *¿Cuál era el sistema empleado en un principio para llevar a cabo la actividad comercial?*
b) *¿Qué se intercambiaba?*
c) *¿Qué problemas tenían los mercaderes en la Edad Media?*
d) *¿Dónde empezaron a desarrollarse las técnicas auxiliares del comercio?*
e) *¿Qué época fue la del apogeo comercial para España?*
f) *¿Qué repercusiones han tenido en el comercio la emancipación de los pueblos de América y los adelantos técnicos?*

2) Explique el significado de: *abolir, emancipación, vestigio, relacionarse.*

2. El resurgimiento del trueque

Una de las modalidades que a pesar de ser de las más antiguas utilizadas en el comercio está cobrando cada vez más importancia es el *barter* o trueque, que, en resumen, es el intercambio sin dinero de productos, propiedades y/o servicios. Aunque las empresas siempre se han intercambiado los productos, sólo recientemente se ha convertido el *intercambio* en un factor importante de la actividad económica de los Estados. Tanto a nivel nacional como internacional, *trueque* o *barter* es uno de los sectores de la economía que más crece en el día de hoy.

Por supuesto que el *trueque* no es un sustituto de las transacciones en efectivo, pero en circunstancias como las actuales el intercambio de productos y servicios cubre un vacío. Por ejemplo, en el año 1984 en Estados Unidos el comercio norteamericano de trueque ha sido de alrededor de 20.000 millones de dólares, lo que representa, aproximadamente, el 1 por 100 de las actividades de venta totales del país.

Actualmente existen alrededor de cuarenta países que cuando negocian sus adquisiciones exigen de alguna forma un contracomercio, siendo sus requisitos muy variados en función de los países. Así, por ejemplo, en Indonesia se exige para las compras gubernamentales que el 100 por 100 del pago se haga en base a contracomercio.

Los países de Europa Oriental lo hacen en porcentaje de alrededor del 50 por 100, y en Brasil se establecen unos porcentajes variables en función de cada contrato.

Es muy difícil negociar operaciones de contracomercio, ya que ningún país desea dar algo que puede vender fácilmente por sí mismo, por lo que una compañía que se inicie en este tipo de mercado debe analizar no sólo si el país necesita los productos que quiere vender, sino también si los artículos allí producidos son aptos para la exportación.

Por comentar algunas categorías de contracomercio, aunque en realidad son cuestiones terminológicas sobre el mismo tema, se suelen establecer los siguientes:

- **Trueque.** Es cuando las mercaderías se intercambian directamente unas por otras, sin mediación de dinero efectivo.
- **Contra-compra.** El vendedor está obligado a aceptar al comprador un porcentaje del valor del contrato en forma de mercancías.
- **Compensación.** Se llama cuando el pago hecho por el comprador de productos y tecnología comprende producción de la fábrica que utiliza equipos del vendedor.
- **Contra-comercio inverso.** Se llama cuando una empresa adquiere derecho de introducir productos a un país en función de lo que exporta del mismo.

El Empresario, núm. 49, junio 1985.

Ejercicios

1) Escriba diez preguntas sobre «El resurgimiento del trueque», para hacérselas a sus compañeros.

2) Imagine que tiene que llevar a cabo una operación de trueque con un compañero suyo. Tendrá que llegar a un acuerdo, previa operación de *regateo,* sobre lo que consideren justo para ambas partes. A continuación, escriba un resumen de toda la negociación.

3. Concepto y clases de comercio

El comercio suele definirse como la actividad que, desempeñada con carácter de profesión y espiritu de *lucro,* persigue la intermediación de bienes y servicios entre el *productor* y el *consumidor.*

PRODUCTOR ⟶ COMERCIO ⟶ CONSUMIDORES

Regateo: discutir el comprador y el vendedor el precio de una cosa puesta en venta.

Lucro: ganancia y provecho que se saca de una cosa.

Productor: en la organización sindical del trabajo, cada una de las personas que interviene en la producción.

Consumidor: aquel que consume, es decir, que utiliza un bien o un servicio para satisfacer sus necesidades.

Desde el punto de vista cuantitativo, el comercio se clasifica en: al por mayor y al por menor o detallista.

En el comercio al por mayor, los productos se venden a otro comerciante para que éste los venda a su vez; es decir, supone una reventa. En el comercio al por menor los productos se venden a los consumidores.

En cuanto al ámbito en que se desarrolla, se define como comercio interior el efectuado dentro de las fronteras políticas de un país, y comercio exterior si se realiza entre varios países, debiendo en este caso establecerse la diferencia entre la venta y salida de bienes del país o exportación y la adquisición y entrada de ellos o importación.

En los últimos años se ha venido desarrollando una nueva solución comercial: la cadena voluntaria, que consiste en una fórmula de asociación comercial, integrada por uno o varios mayoristas en colaboración con sus clientes detallistas, cuyas características son:

1. Aprovisionamiento en una sola fuente.

2. La venta y entrega de los productos a los detallistas están aseguradas por el mayorista.

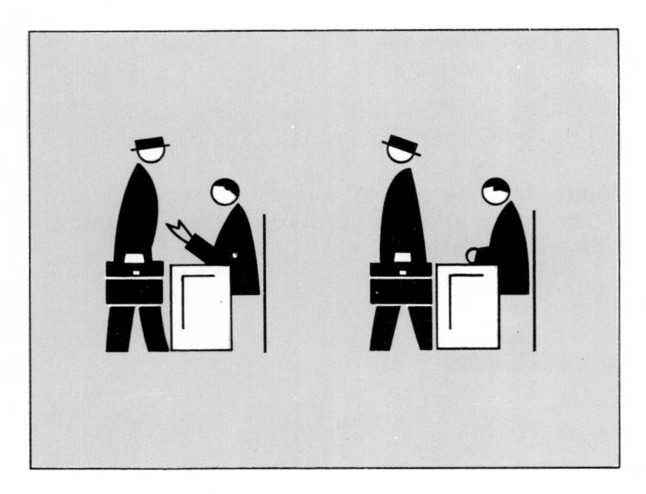

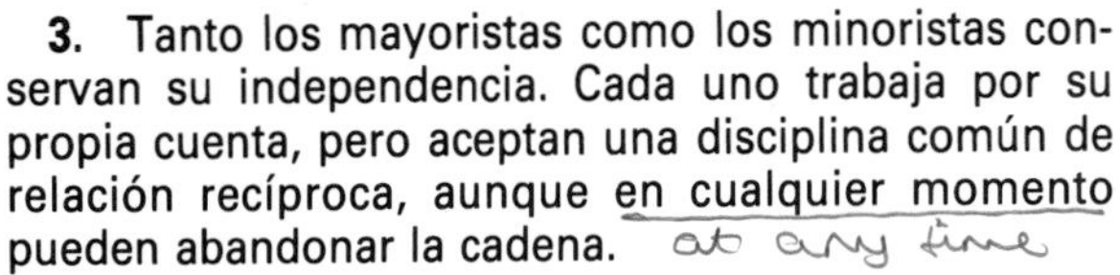

3. Tanto los mayoristas como los minoristas conservan su independencia. Cada uno trabaja por su propia cuenta, pero aceptan una disciplina común de relación recíproca, aunque en cualquier momento pueden abandonar la cadena.

4. Los servicios son organizados en común: promoción de ventas, publicidad, exposición de mercancías, perfeccionamiento profesional, etc., de forma que el detallista se hace más competitivo y aumenta sus ventas en el mercado.

Contado (al): operaciones cuya liquidación del precio del objeto adquirido es inmediata.

Rentable: adjetivo de rentabilidad: capacidad de un capital colocado o invertido de producir una renta, expresada en términos financieros.

Las ventajas de esta fórmula son:

1. Para el detallista:

a) Regularidad y comodidad en el suministro de mercancías.

b) Aumento de las ventas, como resultado de la planificación y asesoramiento técnico.

c) Posibilidad de ofrecer mejores precios, al multiplicarse las ventas.

d) Asesoramiento y consulta técnica en todos sus problemas de compras, administración y ventas.

e) Mejores condiciones de compra, como resultado de la potencia combinada de todos los detallistas de la cadena.

f) Exclusividad de marca propia.

g) Imagen de prestigio ante el consumidor.

h) Mayores facilidades para la obtención de créditos.

i) Más rotación de los stocks y, en consecuencia, mayor *rentabilidad.*

2. Para el mayorista:

a) Clientela fija seleccionada.
b) Cobro al *contado.*
c) Pedidos concentrados.
d) Aumento de las ventas.
e) Reducción de costes.
f) Mayor productividad.
g) Mejoras en las relaciones con los proveedores.
h) Posibilidad de desarrollar exclusivas con marcas propias.

3. Para los proveedores:

a) Fortalecimiento, al asegurar ventas sucesivas y continuas.
b) Flexibilidad, al tener las cadenas una política de precios más agresiva y flexible que los comerciantes tradicionales.

4. Para el consumidor:

a) Superior eficacia de los establecimientos detallistas, más modernos y con mayor surtido.
b) Precios más asequibles.
c) Mayor competencia y, en consecuencia, mejores servicios.

¿Qué son las cadenas voluntarias?, IRESCO.

Ejercicios

1) Conteste las siguientes preguntas:

   a) *¿Qué entiende por comercio?*
   b) *¿En qué se diferencia el comercio al por mayor del comercio al por menor?*
   c) *¿Cómo se clasifica el comercio, según el ámbito en que se desarrolla?*

2) Haga una frase con:

a) *vender*	e) *cuantitativo*
b) *consumidor*	f) *reventa* re-sale
c) *dentro*	g) *lucro*
d) *internacional*	h) *al contado*

3) Escriba un pequeño comentario sacando sus propias conclusiones acerca de las ventajas de las cadenas voluntarias, desde el punto de vista del detallista, el mayorista y el proveedor y consumidor.

4. El dinero

Una vez superada la etapa en que los colectivos sociales apenas se relacionaban entre sí, por constituir unidades cerradas o de autoconsumo, se pasó, con la división del trabajo, a la economía de trueque y, luego, a la economía monetaria.

El trueque presentaba dificultades desde el momento en que se pretende cambiar más de dos mercancías. Para solventarlas, se utiliza una mercancía universal, como medio para llevar a cabo los cambios: el *dinero*.

Dinero: originariamente, pieza de metal que servía como instrumento de pago en los cambios. Más tarde, instrumento de pago en general. Por consiguiente, unidad que sirve de medida de los valores de cambio. Por extensión, conjunto de los medios de pago.

El dinero es algo que todas las personas están dispuestas a aceptar a cambio de bienes y servicios, ya que saben que otras personas lo admitirán a su vez como permuta de los bienes o servicios que ellas requieran.

El dinero, en su origen, era una mercancía aceptada por todos debido a que reunía unas propiedades determinadas: grano, sal, cabezas de ganado, etc., pero poco a poco se fueron imponiendo los metales, en especial el oro y la plata, aunque hoy estos dos apenas se utilizan en la acuñación de moneda, a menos que vayan en aleación con otros.

Dinero metálico: en principio, el dinero en oro, plata o cobre, esto es, en su propia especie; hoy, por extensión, aunque impropiamente, también el papel moneda.

En la actualidad, puede decirse que el dinero, en cuanto a la materia de que está fabricado, es de *metal,* de papel e incluso de plástico; este último desde que en las relaciones comerciales hace su aparición la tarjeta de crédito, de la que hablaremos en el capítulo IV.2.

Ejercicios

1) Con ayuda de la lista de cambios de divisas, calcule el precio de los siguientes productos en la moneda de su país:

Espárragos estándar, lata de 1/2 kilo .... *179 ptas.*
Néctar de frutas, brik de 1 litro .... *105 ptas.*
Sidra achampanada, botella de 3/4 litro .... *95 ptas.*
Aceite de girasol, botella de 1 litro .... *159 ptas.*
Atún en aceite, lote de tres latas .... *139 ptas.*
Galletas, caja de 1 kilo .... *225 ptas.*
Huevos blancos, estuche de 2 docenas .... *199 ptas.*
Caldo doble sabor, caja de 10 pastillas .... *84 ptas.*
Queso en porciones, cajita de 8 porciones .... *89 ptas.*

2) Explique qué es el dinero. Según usted, ¿es posible que desaparezca el dinero como tal y sea sustituido por tarjetas de crédito u otro sistema?

Mercado de divisas

(15 de diciembre de 1987)

DIVISAS	Comprador Pesetas	Vendedor Pesetas
1 Ecu	139,649	139,999
1 dólar EE.UU.	110,168	110,444
1 dólar canadiense	84,268	84,479
1 dólar australiano	78,330	78,526
1 franco francés	19,956	20,006
1 libra esterlina	202,136	202,642
1 libra irlandesa	179,905	180,355
1 franco suizo	83,234	83,442
100 francos belgas	323,311	324,120
1 marco alemán	67,667	67,836
100 liras italianas	9,184	9,207
1 florín holandés	60,135	60,286
1 corona sueca	18,606	18,653
1 corona danesa	17,564	17,608
1 corona noruega	17,330	17,374
1 marco finlandés	27,395	27,463
100 chelines austriacos	961,999	964,407
100 esc. portugueses	82,215	82,421
100 yenes japoneses	86,603	86,820
100 dracmas griegos	85,203	85,417

Fuente: Banco de España.

5. El oro, valor refugio

La oferta de oro en el mundo depende de varios factores; entre ellos, los más importantes son: la situación política y económica de los principales países productores de oro (Sudáfrica y la URSS), los problemas de endeudamiento mundial y las ventas oficiales (Fondo Monetario Internacional y Tesoro de los Estados Unidos de América).

Las dificultades de obtener fondos en el mercado de capitales obliga a numerosos Estados a movilizar sus reservas de oro por medio de *swaps* o garantías. Hay que considerar que ante unos tipos de *interés* estables y un dólar fuerte, los países con problemas financieros se están viendo obligados a aumentar sus exportaciones de oro a precios estimados poco rentables.

Swap: crédito cruzado. Adquisición rápida de divisas.

Interés: precio del servicio proporcionado por el prestamista al prestatario y pagado por este último para conseguir la utilización de cierta suma de dinero durante un período de tiempo determinado.

La demanda de oro está formada, principalmente, por los siguientes componentes:

a) La demanda monetaria oficial, compuesta por las compras de los Gobiernos y organismos oficiales para fortalecer sus reservas, dado el papel que juega como «reserva de garantía».
b) La demanda industrial, que va dirigida principalmente a la fabricación de joyería e instrumental de odontología y electrónica.
c) La demanda para la *inversión,* que está influida principalmente por la situación política y económica, los tipos de interés, la *paridad* del dólar y la inflación. Éste último componente podemos dividirlo en dos campos interrelacionados entre sí:

   1) Atesoramiento, consistente en la canalización del ahorro hacia el oro. Esta inversión suele materializarse en la adquisición de monedas y lingotes de oro.
      La moneda sudafricana (rand) ha experimentado una demanda importante debido a que es una onza de oro puro en forma de moneda. Otras monedas de interés son: el napoleón, la doble águila y la libra esterlina de oro.
   2) Especulación, es decir, aquella demanda que surge ante los movimientos de los tipos de interés y el temor a las *devaluaciones* o a los riesgos políticos. Generalmente, en momentos de tensión internacional, se detecta su existencia por los aumentos bruscos de la demanda privada.

Inversión: adquisición de medios de producción. Por extensión, adquisición de un capital para conseguir una renta.

Paridad: tipo de cambio.

Devaluación: modificación voluntaria a la baja de la paridad de una moneda.

Resumen de *El oro, valor refugio,* Gabinete de Estudios de Cajamadrid. Marzo 1985.

Ejercicios

1) Conteste las siguientes preguntas:

   a) *¿De qué depende la oferta de oro en el mundo?*
   b) *¿Qué componentes forman principalmente la demanda?*
   c) *¿Por qué el rand ha experimentado una demanda importante?*

2) Complete las frases siguientes con las preposiciones adecuadas:

   a) *La oferta .... oro .... el mundo depende .... varios factores.*
   b) *Las dificultades .... obtener fondos .... el mercado .... capitales, obligan .... numerosos Estados .... movilizar sus reservas .... oro .... medio .... garantías.*
   c) *El atesoramiento consiste .... la canalización .... el ahorro .... el oro.*

6. El Sistema Monetario Europeo

La decisión de crear un Sistema Monetario Europeo fue tomada por los jefes de Estado y de Gobierno de los Nueve bajo el impulso del presidente francés Valéry Giscard d'Estaing y el canciller alemán Helmut Schmidt.

El 6 de julio de 1978, en Bremen, reunido el Consejo de Europa, confirmó su decisión, se precisaron las directrices del sistema y se estableció un calendario de trabajo. El objetivo que había que alcanzar fue definido del modo siguiente: «Un sistema tendente a establecer una cooperación más estrecha que desemboque en la creación de una zona de estabilidad de Europa.»

El 12 de marzo de 1979, el Consejo de Europa, esta vez en París, autorizó la puesta en marcha del Sistema Monetario Europeo, que entró en vigor el 13 de marzo.

El Sistema Monetario Europeo (SME) es un elemento clave de la unión económica y monetaria en vías de constitución. Su objetivo prioritario consiste en estabilizar las relaciones de cambio entre las monedas participantes en el mismo, con el fin de reestablecer el correcto funcionamiento del Mercado Común industrial y agrícola. He aquí el esquema de funcionamiento del SME:

Cesto de monedas: cantidad de monedas determinada, de acuerdo con las diferentes cotizaciones.

— Para cada moneda que participa en el sistema, se fija una cotización base en términos de ecus (European Currency Units). El ecu es una unidad monetaria definida por un *cesto de monedas* nacionales idéntico al que se utiliza para la Unidad de Cuenta Europea.
— Sobre las cotizaciones base así determinadas, se establece una escala de paridades bilaterales que fija, para cada moneda, una cotización de referencia con respecto a cada una de las demás.
— Los Estados participantes depositan en el Fondo Europeo de Cooperación Monetaria el 20 % de sus reservas de oro y el 20 % de sus dólares, recibiendo, en contrapartida, ecus destinados a la liquidación de los **saldos** de las intervenciones de los bancos centrales (en España, esta misión corresponde al Banco de España).

— Determinados mecanismos de crédito y apoyo financiero recíproco entre los Estados participantes permiten reducir los riesgos monetarios, con lo que las sumas movilizables se han reforzado considerablemente.

Se previó que, tras dos años de funcionamiento, el Sistema Monetario Europeo podría convertirse en definitivo, provocando la creación del Fondo Monetario Europeo. Las reservas monetarias y en oro que hoy son simplemente depositadas en el Fondo Europeo de Cooperación Monetaria por los Estados miembros constituirán, a partir de ese momento, reservas comunitarias, confirmándose el ecu en su doble papel de activo de reserva y de instrumento de liquidación.

Ejercicios

1) Ejercicio de asimilación: complete las frases siguientes utilizando la información obtenida de la lectura del texto:

   a) *La decisión de crear un Sistema Monetario Europeo fue tomada por ....*
   b) *El Sistema .... es un elemento clave de la unión económica y monetaria en vías de constitución.*
   c) *El objetivo prioritario del SME consiste en ....*
   d) *Para cada moneda que participa en el sistema, se fija una cotización base en términos de ....*
   e) *Los Estados participantes depositan en el Fondo Europeo de Cooperación Monetaria ....*
   f) *Por el doble papel del ecu se entiende ....*

2) Escriba diversas palabras con la misma raíz de:

   a) *sistema*
   b) *europeo*
   c) *confianza*
   d) *funcionamiento*
   e) *crédito*

3) ¿Qué podría decir acerca del Sistema Monetario Europeo?

UNIDADES MONETARIAS EN LOS PAÍSES DE HABLA ESPAÑOLA

Argentina=peso: austral (desde 1985)
Bolivia: peso
Colombia: peso
Costa Rica: colón
Cuba: peso
Chile: peso
República Dominicana: peso
Ecuador: sucre
España: peseta
Filipinas: peso
Guatemala: quetzal
Honduras: lempira
México: peso
Nicaragua: córdoba
Panamá: balboa
Paraguay: guaraní
Perú: sol
Puerto Rico: dólar de los EEUU
El Salvador: colón
Uruguay: peso
Venezuela: bolívar

La peseta, el colón de Costa Rica y el guaraní de Paraguay se subdividen en 100 céntimos. El peso de Uruguay, en 100 centésimas; el balboa, en 100 centos, y todas las demás en 100 centavos.

III. La contabilidad

1. ¿Para qué sirve la contabilidad?

La contabilidad, nacida de la práctica, al igual que otras ramas del conocimiento, responde a una necesidad de registro e información.

Uno de sus primeros objetivos fue la evaluación, del modo más exacto posible, de las *ganancias*. Se empezó calculando la ganancia o la *pérdida* del empresario como simple diferencia entre sus *gastos* y sus *ingresos,* pero esta mecánica fue poco a poco complicándose hasta convertir a la contabilidad en un instrumento muy útil para el análisis de la *empresa* moderna.

Por tanto, podemos definirla como el conjunto de normas con que la unidad económica debe registrar las operaciones que realiza, para poder determinar en todo momento la situación de su *patrimonio.*

Ganancia: diferencia entre los gastos que a la unidad económica le ocasiona su actividad, y los ingresos que obtiene por las ventas, cuando éstos son superiores a aquéllos.

Pérdida: diferencia entre los ingresos y los gastos de la unidad económica, cuando éstos son superiores a aquéllos.

Ingresos: caudal económico que la empresa percibe o tiene derecho a percibir como consecuencia de su actividad.

Gastos: cargas económicas que a la unidad económica le origina su actividad.

Empresa: unidad económica autónoma que combina los factores de producción o comercialización para la obtención de bienes o servicios.

Patrimonio: conjunto de bienes, derechos y obligaciones con una misma titularidad jurídica y un fin común.

La contabilidad, por tanto, representa el patrimonio tal como se estructura al iniciarse la actividad, y posteriormente registra las variaciones que en él se van produciendo como consecuencia de las operaciones (compras, ventas, *pagos,* cobros, etc.) que la empresa realiza.

Los procedimientos que pueden seguirse para esta actividad de registro son diversos. Hoy en día, toda la técnica contable gira en torno al método de *partida doble.* Este método se basa en que toda anotación

Pago: acto de desembolso mediante el cual se paga una deuda o se satisface una obligación económica.

Partida doble: sistema contable según el cual toda operación debe registrarse al menos en dos cuentas de signo contrario. Se formula en la expresión: «todo cargo implica uno o varios abonos», y viceversa.

contable conserve la igualdad que se expresa en la ecuación fundamental del patrimonio:

ACTIVO = PASIVO + NETO

Es decir:

Inversiones o aplicaciones de fondos	=	Fondos aportados por acreedores	+	Fondos aportados por la propia empresa

Cuenta: instrumento de representación y medida de un elemento patrimonial, que refleja sus aumentos y disminuciones de valor.

Debe: parte izquierda de la cuenta, en la que convencionalmente se registran las operaciones en las que el elemento funciona como aplicación de fondos.

Haber: parte derecha de la cuenta, en la que convencionalmente se registran las operaciones en las que el elemento funciona como origen de fondos.

Diario: libro contable en el que por medio de asientos se registran cronológicamente las operaciones realizadas por la unidad económica, con expresión de orígenes y aplicaciones de fondos.

Asiento: anotación cronológica en el Diario de las operaciones realizadas por la unidad económica.

Tabulación: Expresión de ciertos valores, magnitudes o funciones por medio de tablas.

Para que ese principio pueda cumplirse, se establecen los siguientes principios básicos de funcionamiento:

a) Toda *cuenta* consta de dos partes (*debe* y *haber*) en las que se registran los cargos (anotaciones en el debe) y abonos (anotaciones en el haber).
b) En toda operación contabilizable se ven afectadas, al menos, dos cuentas de signo contrario.
c) Siempre que en la cuenta representativa de un elemento se efectúa un cargo, es inevitable que en otra (o en otras) cuenta(s) se efectúe un abono del mismo importe.

Los libros en que se registran todas las operaciones que se contabilizan se llaman *libros de contabilidad.* Los principales son el *Diario* y el *Mayor.*

El libro Diario recoge cronológicamente, por medio de *asientos,* las operaciones que la empresa realiza, expresando a qué elementos patrimoniales afectan y en qué cuantía.

Su disposición práctica será aceptable siempre que cumpla suficientemente su objetivo de información. Un modelo de diario, según la *tabulación* más usual, sería:

N.º FOLIO MAYOR	DEBE		HABER	N.º FOLIO MAYOR
	IMPORTE	EXPLICACION CONTABLE DEL ASIENTO	IMPORTE	

En el libro Mayor cada doble página identifica la cuenta representativa de un elemento patrimonial. En la página izquierda, debe, se recogen las operaciones en las que el elemento ha jugado el papel de aplicación de fondos. En la de la derecha, haber, se anotan aquellas en las que ha funcionado como origen de fondos. El rayado podría ser:

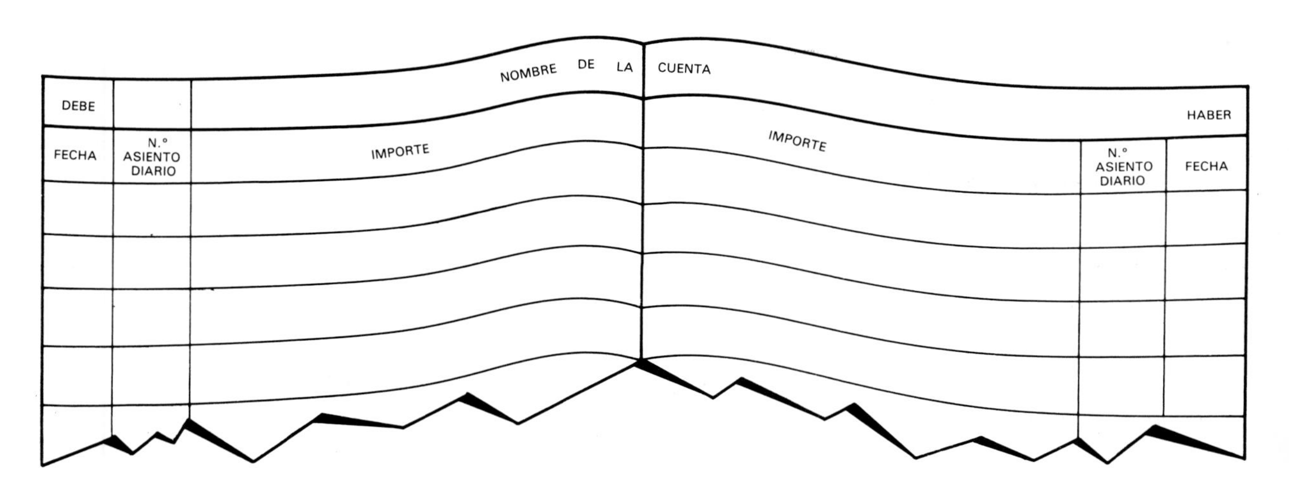

La correlación entre ambos libros se consigue haciendo figurar en el Diario el número de folio del Mayor en el que se ha registrado la operación; y en el Mayor, el número de asiento correspondiente.

En cualquier caso, los modernos avances de la electrónica y la informática han conducido a que el libro Mayor ya no sea de *llevanza* obligatoria, ni tenga que responder a un modelo oficial. Las páginas del Mayor pueden ser hoy discos o cintas de ordenador. El Diario, sin embargo, mantiene su obligatoriedad en cuanto a ser un libro oficial sellado y *foliado* por el juzgado, prohibición de tachadura, enmiendas, etc.

Llevanza: acción de llevar.

Foliado: folio u hojas.

Ejercicios

1) Conteste las siguientes preguntas:
   a) *¿Cuál es el objetivo de la contabilidad?*
   b) *¿Qué es un asiento?*
   c) *¿Cuáles son los principales libros de contabilidad?*
   d) *¿Para qué sirve cada uno de ellos?*

2) Escriba el verbo correspondiente a los siguientes sustantivos:

evaluación	*negocio*
ganancia	*cálculo*
registro	*deuda*
operación	*pérdida*

2. Historia y escuelas de contabilidad

Se puede hablar, en ambos aspectos, de mil años de evolución contable.

La contabilidad, bajo su aspecto de cuentas abiertas a personas en un registro llamado Mayor, tomó cuerpo alrededor del siglo X, después de la introducción en Europa de las cifras árabes, el sistema decimal y el papel, que facilitó la escritura, permitiendo la confección de los registros.

Los mercaderes italianos ya empleaban el método de partida doble en los siglos XIII y XIV, y parece lógico pensar que, debido a las relaciones que España mantenía en esa época con Italia, en nuestro país se implantasen fácilmente las técnicas contables.

En 1494 Lucca Paccioli describió, por primera vez en un libro, la forma de llevar el inventario, los libros que se precisaban, la necesidad de control periódico y la forma de subsanar los errores. Este volumen fue impreso en Venecia, con el título de *Summa arithmetica, geometrica, proportioni, proportionalita et arte magiore.*

Desde la República de Venecia, los estudios de contabilidad se extendieron por toda Europa. Allí se imprimiría, años después, el libro del alemán W. Scheweicker *Teneduría doble.* También en España se publicaron varias obras sobre la materia, siendo quizá la más completa la que escribe Salvador Solórzano, *Libro de Caja y Manual de Mercaderes y otras Personas,* publicado en 1590 y dedicado al rey, «por ser el método que mandan las leyes de Castilla».

En lo que se refiere a la teoría contable, se pueden citar varias escuelas clásicas. En 1795 nos encontramos con Edmond Degrange y su método de principios contables, en el que exponía la «doctrina de la ciencia de las cuentas» y en el que imaginó el libro Diario-Mayor agrupando toda la contabilidad en un solo registro. Para reducir el número de cuentas, creó las cuentas colectivas. Hasta principios del siglo XX, el registro imaginado por Degrange fue conocido con el nombre de Diario Americano.

En 1825, debido al aumento de las operaciones que había que contabilizar, aparece el sistema centralizador, con los diarios especiales de Ventas, Compras, Tesorería, etc., para posteriormente descentralizarse en el Diario General.

En 1873, Giusseppe Cerboni crea la *escuela personalista* de las cuentas, que se basa en la ficción de personificar los objetos materiales: el dinero, las máquinas, las materias primas... Detrás de cada bien existe una persona que lo representa, y las transacciones se hacen personalmente basándose en esa ficción.

En 1891, Fabio Besta, en su obra *La Ragioneria,* hace una crítica de la escuela personalista. Para él, las cuentas no pueden representarse por personas, sino por valores. Es la teoría materialista de la contabilidad, que atribuye a ésta la misión del control económico de la riqueza.

Hacia finales del siglo XIX se utilizaban simultáneamente tres sistemas contables: la *partida doble* de Lucca Paccioli, llamada Contabilidad Italiana; el *Diario Mayor* de Degrange, sistema conocido como Contabilidad Americana, y el sistema *centralizador,* difundido como Contabilidad Francesa.

Aunque aplicados en menor escala, se conocen otros, como el que desarrolla la *teoría economigráfica,* y el que aplica la *teoría matemática.*

La idea de una información contable más unificada da lugar a la creación de *planes generales de contabilidad.* A nivel estatal, son destacables: el plan alemán de 1937, el internacional de 1953, el francés de 1957, y el español de 1973.

Ejercicios

1) Diseñe un cuadro sinóptico en el que se sinteticen la historia y las escuelas de contabilidad.

2) Desarrolle estas ideas:

a) ***Todo buen comerciante, primero ha de tener dinero; segundo, no ser tonto, y tercero, llevar con orden la contabilidad.***

Lucca Paccioli.

b) ***El que recibe, debe. El que entrega, acredita.***

Degrange.

3. ¿Qué sabe usted de cuentas?

DEBE	HABER

La cuenta es un instrumento de representación y medida de un elemento patrimonial, que capta su situación inicial y las posteriores evoluciones que va experimentando. De forma que la coordinación de todas las cuentas de la contabilidad nos ofrece una visión global de la situación del patrimonio.

Formalmente, la cuenta adopta la forma de una T, como representación esquemática de un libro (el Mayor) abierto. Convencionalmente se llama *debe* a la página o parte izquierda, donde se recogen las operaciones en que el elemento representado supone una aplicación de fondos, y *haber* a la derecha, en la que se registran los hechos en los que el elemento figura como origen de fondos.

Son cuentas de *Activo* las que representan bienes y derechos de la empresa. Para ellas se establece que el nacimiento y los incrementos del elemento representado se registran en el *debe,* mientras las disminuciones aparecen en el *haber.* Las cuentas de Activo más típicas son: *terrenos, edificios, maquinaria, existencias, clientes, deudores, caja, bancos...*

Cuentas de *Pasivo* son las que indican deudas y obligaciones de la unidad económica. Por convenio, recogen en el *haber* los aumentos y en el *debe* las disminuciones. Las más usuales son:

acreedores, proveedores, efectos comerciales a pagar, empréstitos, créditos...

Cuentas de *Neto* se llama a las que representan las aportaciones de la propia empresa (lo que la unidad económica «se debe a sí misma»). Funcionan igual que las de *Pasivo*. Son las más típicas:

capital, amortización acumulada, reservas, previsiones, provisiones...

La terminología utilizada en la teoría de cuentas es fundamentalmente jurídica, por haberse desenvuelto en este ámbito los primeros desarrollos científicos de la contabilidad. Así se habla de:

Cargar, adeudar o debitar: verificar una anotación en el *debe* de la cuenta (parte izquierda).

Acreditar, abonar, descargar: registrar una anotación en el *haber* (parte derecha) de la cuenta.

Saldo: diferencia entre las sumas del *debe* y las del *haber*. El saldo puede ser *deudor* (cuando el *debe* es mayor que el *haber*), *acreedor*, (cuando el *haber* supera al *debe*) o *saldo cero* (cuando *debe* y *haber* son iguales).

Saldo acreedor: diferencia entre el haber y el debe de una cuenta, cuando aquél es mayor que éste.

Saldo deudor: diferencia entre el debe y el haber de una cuenta, cuando aquél es mayor que éste.

Liquidar una cuenta: realizar las operaciones necesarias para determinar su saldo.

Saldar una cuenta: colocar el saldo en el lado que menos suma, para que la cuenta quede compensada.

Cerrar una cuenta: sumar los dos lados después de haberla saldado.

4. Hacer balance

Balance: representación valorada del patrimonio, con especificación de los orígenes (pasivo) y aplicaciones (activo) de los fondos.

El *Balance de Situación* ofrece una visión global de la empresa en su conjunto, al determinar el valor y la estructura del patrimonio y el beneficio alcanzado en un determinado período.

El modelo contable de Balance de Situación aparece ordenado en tres grandes masas patrimoniales, correspondientes a *Activo, Pasivo* y *Neto*.

ACTIVO

INMOVILIZADO	INMOV. MATERIAL	FIJO
	INMOV. INMATERIAL	
	INMOV. FINANCIERO	
	GTOS. AMORTIZABLES	
REALIZABLE	EXISTENCIAS	CIRCULANTE
	DEUDORES	
DISPONIBLE		

ESTRUCTURA ECONÓMICA

PASIVO

FIJO	CAPITAL		RECURSOS PROPIOS NETO
	RESERVAS		
	AMORTIZ. ACUMULADA		
	PREVISIONES Y PROVISIONES		
	DEUDAS A M. Y L./PLAZO	EXIGIBLE	RECURSOS AJENOS
CIRCULANTE	DEUDAS A C./PLAZO		

ESTRUCTURA FINANCIERA

La información ofrecida por el balance tiene un sentido puramente estático: informa de la situación y valor del patrimonio en un cierto momento del tiempo. Necesita ser completada con otras informaciones dinámicas, como las que ofrecen las *Cuentas de Resultados*, de *Explotación*, y de *Pérdidas y Ganancias*.

SIDEROMETALURGICA DEL EBRO, S. A.

Balance de Situación a 31 de diciembre de 19....

ACTIVO

INMOVILIZADO		
MATERIAL		
Terrenos	117.456	
Edificios	865.220	
Maquinaria	2.223.518	
Mobiliario	115.806	
	3.322.000	
Amort. acumulada	(1.836.000)	
		1.486.000
FINANCIERO		
Títulos	58.000	
		58.000
GTOS. AMORTIZABLES		
Gtos. Ampliación Capital	4.101	
Gtos. Emisión Obligaciones	2.605	
		6.706
EXISTENCIAS		
Mat. primas	460.000	
Fabric. en curso	340.915	
Pdtos. terminados	622.085	
		1.423.000
DEUDORES		
Clientes	463.732	
Efectos com. a cobrar	467.113	
		930.845
CTAS. FINANCIERAS		
Caja y Bancos	300.449	
		300.449
TOTAL ACTIVO		4.205.000

PASIVO

RECURSOS PROPIOS		
CAPITAL Y RESERVAS		
Capital social	1.428.000	
Reserva legal	86.300	
Reserva estatutaria	88.702	
Reserva voluntaria	65.340	
Remanente	96.866	
		1.765.208
PREVISIONES		
Prev. para riesgos	130.810	
Aceleración amortiz.	89.701	
		220.511
PROVISIONES		
Reparaciones extraord.	92.530	
Responsabilidades	115.792	
		208.322
DEUDAS A M y L/PLAZO		
Empréstito de obligaciones	102.000	
Créditos bancarios	206.420	
Acreedores	88.506	
Préstamos	38.624	
		433.550
DEUDAS A C/PLAZO		
Proveedores nacionales	871.698	
Proveedores extranjeros	255.171	
Acreedores	298.787	
Hacienda Pública	55.610	
		1.481.266
RESULTADOS		
Pérdidas y Ganancias	94.143	
		94.143
TOTAL PASIVO		4.205.000

Jurídicamente, el balance es un instrumento fundamental de información para los terceros (entre ellos, la Hacienda) interesados en la marcha de la empresa. Por ello, en todos los países existen normas sobre su elaboración. En España, el Plan General de Contabilidad de 1973 contiene un modelo oficial de balance al que debe ajustarse este documento, y que se reproduce en las páginas siguientes.

BALANCE
antes de la aplicación del saldo de Pérdidas y Ganancias

ACTIVO

Cuentas	Concepto	Importe
	INMOVILIZADO	
	Material	
200	Terrenos y bienes naturales	
292	menos provisión por depreciación.	
202	Edificios y otras construcciones	
203	Maquinaria, instalaciones y utillaje ...	
204	Elementos de transporte	
205	Mobiliario y enseres	
206	Equipos para procesos de información	
207	Repuestos para inmovilizado	
208	Otro inmovilizado material	
209	Instalaciones complejas especializadas	
280	menos amortización acumulada del Inmovilizado material	
230, 232, 233, 236, 238, 239	Inmovilizaciones en curso	
	Inmaterial	
210	Concesiones administrativas	
211	Propiedad industrial	
212 y 213	Otros conceptos	
281	menos amortización acumulada del Inmovilizado inmaterial	
	Financiero	
240, 243, 250	Títulos con cotización oficial	
241, 243, 251, 252	Títulos sin cotización oficial	
242	Otras participaciones en empresas....	
249, 259	menos desembolsos pendientes sobre acciones y participaciones	
244, 245, 246, 254, 255	Préstamos	
260, 261, 265, 266	Fianzas y depósitos constituidos	
293	menos Provisión por depreciación de inversiones financieras permanentes	
295, 296	menos Provisiones para insolvencias	
	Gastos amortizables	
270, 271	De constitución y de primer establecimiento	
275	De emisión de obligaciones y bonos y de formación de préstamos	
272, 273, 274, 276, 277	Otros gastos amortizables	
	EXISTENCIAS	
30	Comerciales (mercaderías)	
31	Productos terminados	
32	Productos semiterminados	
33	Subproductos y residuos	

PASIVO

Cuentas	Concepto	Importe
	CAPITAL Y RESERVAS	
100	Capital social	
103	Capital amortizado	
110	Prima de emisión de acciones	
111	Plusvalía por revalorización de activo	
112	Cuenta de Regularización (Ley 76/1961)	
113	Reservas legales	
114	Reservas especiales	
115	Reservas estatutarias	
116	Reservas voluntarias	
117	Fondo de reversión	
130	Remanente	
131 y sgtes.	menos resultados negativos ejercicios anteriores	
	SUBVENCIONES EN CAPITAL	
140 y sgtes.	Subvenciones concedidas	
	PREVISIONES	
120, 121	Para riesgos y para diferencias de cambio	
122	Autoseguro	
123	Por aceleración de amortizaciones	
	PROVISIONES	
290, 291	Para reparaciones y obras extraordinarias	
492	Para responsabilidades	
	DEUDAS A PLAZO LARGO Y MEDIO	
150, 151, 152, 153	Obligaciones y bonos en circulación.	
160, 161, 170, 171	Préstamos	
165, 166, 175, 176	Acreedores	
180, 181, 185, 186	Fianzas y depósitos recibidos	

ACTIVO		
34	Productos y trabajos en curso...........	
35	Materias primas y auxiliares	
36	Elementos y conjuntos incorporables..........	
37	Materiales para consumo y reposición	
38	Embalajes y envases	
39	menos Provisiones por depreciación de existencias..........	
	DEUDORES	
430, 431	Clientes	
408, 409	Anticipos a proveedores	
450, 455	Efectos comerciales a cobrar..........	
407, 440, 460, 470, 471, 472	Otros deudores por operaciones de tráfico..........	
435, 445	Clientes y deudores de dudoso cobro..........	
490, 491	menos Provisiones para insolvencias..........	
	CUENTAS FINANCIERAS	
530, 531, 532,	Títulos con cotización oficial	
531, 533	Títulos sin cotización oficial..........	
539	menos desembolsos pendientes sobre acciones..........	
534	Préstamos a plazo corto..........	
535, 540, 545, 550, 551	Otras inversiones financieras temporales	
592	menos Provisiones para depreciación de inversiones financieras temporales..........	
590, 591	menos Provisiones para insolvencias..........	
559	Dividendo activo a cuenta	
570, 571	Caja..........	
572, 573, 574	Bancos e Instituciones de Crédito......	
	SITUACIONES TRANSITORIAS DE FINANCIACION	
190, 191	Accionistas, desembolsos pendientes por suscripción de acciones..........	
193	Acciones propias en situaciones especiales..........	
195	Obligaciones y bonos emitidos pendientes de suscripción	
196	Obligaciones y bonos emitidos y recogidos	
	AJUSTES POR PERIODIFICACION	
480, 486, 581, 585	Pagos anticipados e ingresos diferidos	
	RESULTADOS	
890	Pérdidas y Ganancias (Pérdidas)........	
0	Cuentas de orden y especiales	

PASIVO		
	DEUDAS A PLAZO CORTO	
400, 401, 402, 420	Proveedores..........	
438, 439	Anticipos de clientes	
475, 476	Hacienda pública y otras Entidades públicas, por conceptos fiscales.....	
477	Organismos de la Seguridad Social ..	
410, 437, 465	Otros acreedores por operaciones de tráfico	
162, 500	Préstamos recibidos..........	
167, 505, 510, 511, 512, 513, 520, 525, 550, 551, 555	Acreedores no comerciales	
	AJUSTES POR PERIODIFICACION	
181, 485, 580, 586	Pagos diferidos e ingresos anticipados	
	RESULTADOS	
890	Pérdidas y Ganancias (beneficios)......	
0	Cuentas de orden y especiales	

Ejercicios

1) Conteste las siguientes preguntas:

   a) *¿Cuáles son las cuentas más utilizadas?*
   b) *¿En qué consiste saldar una cuenta?*
   c) *¿Y cargar una cuenta?*
   d) *¿Cómo se hace un balance?*
   e) *¿Qué significa para el empresario hacer balance?*

2) Escriba la 3.ª persona de singular del pretérito indefinido de indicativo de los siguientes verbos:

deber	*contar*	*anotar*
inscribir	*tener*	*haber*
hacer	*establecer*	*registrar*

3) Acentúe, si es preciso, las siguientes palabras:

capital	*operacion*	*conjunto*
cobros	*periodicamente*	*estructura*
utilidad	*estadistico*	*situacion*
mercaderia	*limitacion*	*dinamicas*
articulos	*analisis*	*Hacienda*

4) ¿Qué diferencia hay entre...?

   a) *si* — *sí*
   b) *mas* — *más*
   c) *de* — *dé*
   d) *solo* — *sólo*
   e) *se* — *sé*

5. Contabilidad por calco

El primer paso importante en la evolución de los sistemas de registro contable es el que supone, en 1810, la invención en Francia del papel carbón. Proporciona a la contabilidad la posibilidad de suprimir radicalmente el trabajo de copia, e implica, por tanto, una gran disminución de errores en los traslados de cifras entre unos documentos contables y otros.

Bach, un ingeniero alemán, tuvo la idea de insertar el papel carbón entre dos hojas de rayados idénticos, correspondientes a una hoja de Diario y otra de Mayor, respectivamente. Con ello se conseguía registrar cada operación simultáneamente en ambos libros, con una sola inscripción. Había nacido la **contabilidad por calco.**

El sistema funciona a base de fichas, en las que deben coincidir el rayado de los apartados dedicados a fecha, contrapartida, concepto, debe, haber y saldo.

La hoja del Diario, que tiene que ser de mayor tamaño que las fichas, se coloca sobre una plancha metálica, sujeta a ella por la parte izquierda, de modo que hojas y fichas coincidan exactamente. A continuación se coloca el papel de calco sobre el Diario y, encima, las fichas del Mayor con sus correspondientes papeles de calco. Si se utilizan fichas de libros auxiliares, también se situarán sobre las anteriores. De esta

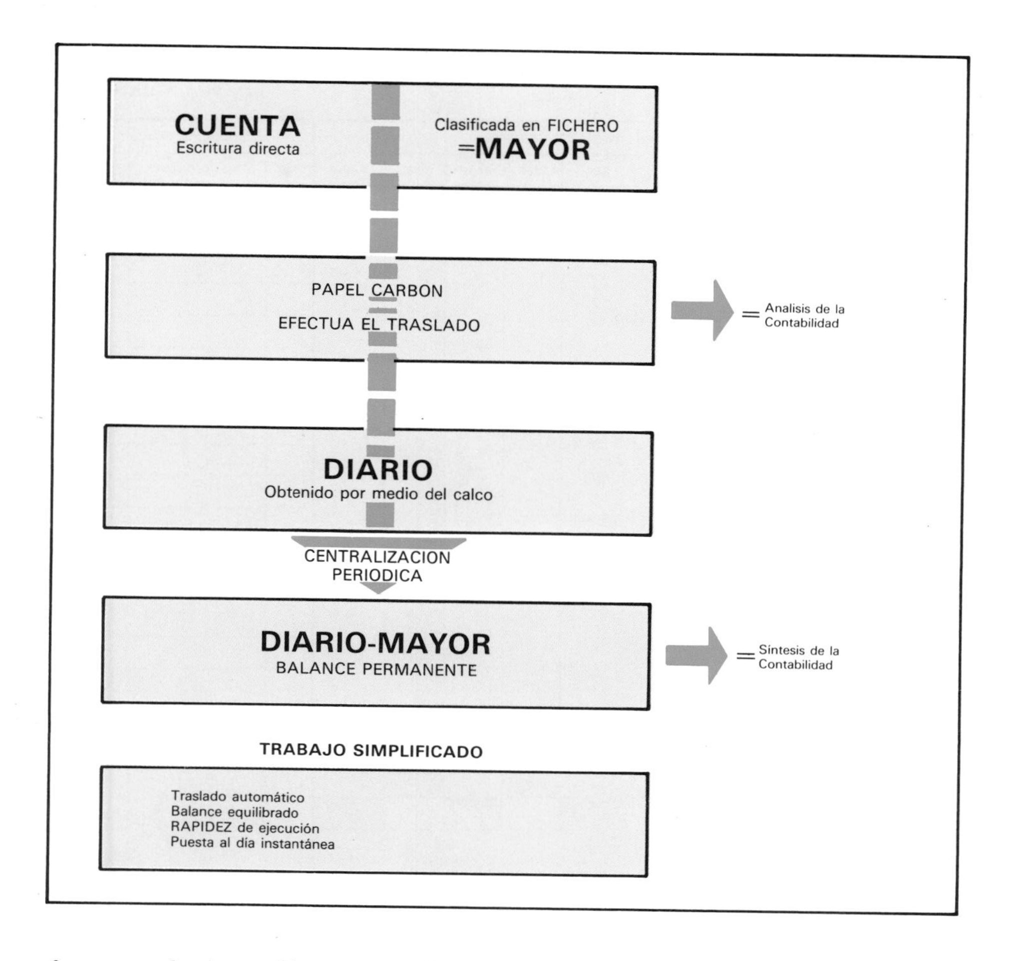

forma, cada anotación en una ficha queda registrada a la vez en el Mayor y en el Diario.

Es un sistema recomendable para pequeñas empresas que no alcanzan un gran volumen de operaciones.

Ejercicios

1) Busque sinónimos para las siguientes palabras:

a) *realizada*
b) *proporcionar*
c) *radicalmente*
d) *posteriormente*
e) *insertar*
f) *idéntico*

2) Escriba la 3.ª persona de singular del presente de indicativo de los verbos:

a) *ir*
b) *tener*
c) *contar*
d) *ser*
e) *poder*
f) *obtener*

3) Escriba todo lo que recuerde sobre la contabilidad por calco, sus ventajas y a quién se la recomendaría.

Pasado al **DIARIO - MAYOR** Mes .... Año .... **DIARIO GENERAL**

FECHA	CONTRA-PARTIDA	CONCEPTO	N.º DE FOLIO	CLIENTES		PROVEEDORES		C. GESTION		C. BALANCE		CUENTAS ADEUDADAS
				DEBE	HABER	DEBE	HABER	DEBE	HABER	DEBE	HABER	CTAS. ABONADAS

TOTAL ....

Sumas anteriores ......

Suma y sigue ....

ZONA DE CALCO — FUERA DE CALCO

6. Documentos relacionados con la contabilidad

Como veremos en el tema V, las empresas pueden ser:

Productivas o Industriales: Extractivas, agropecuarias, transformadoras, constructoras...

Comerciales: De transportes, detallistas, mayoristas, grandes almacenes, supermercados...

De servicios: De servicios públicos, financieras, de hostelería, culturales y recreativas, de ingeniería, benéficas...

En algunos de estos ramos específicos, la contabilidad utiliza documentos peculiares, propios solamente de determinados tipos de actividad. Pero con carácter general podemos decir que los documentos más usuales con los que la contabilidad, en cualquier tipo de empresa, se relaciona son:

El pedido:

Documento que extiende el comprador para solicitar del proveedor los artículos que precisa. Tiene un importante valor de referencia en todo proceso de recepción de mercancías y comprobación de facturas. Debe contener los datos que a continuación se detallan:

Pedido: encargo de géneros o servicios que se hace a un fabricante o vendedor.

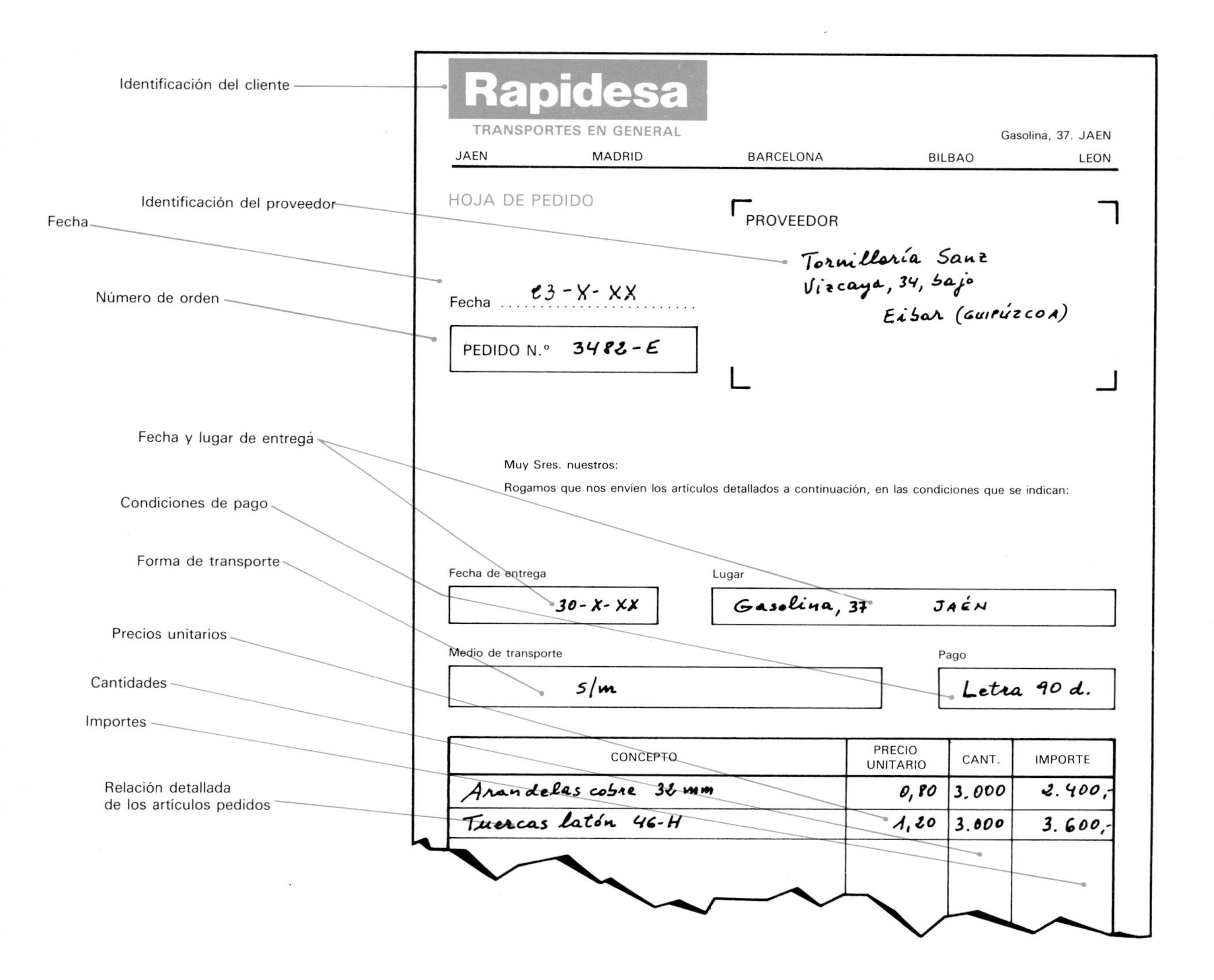

Rapidesa
TRANSPORTES EN GENERAL

Gasolina, 37. JAEN

JAEN MADRID BARCELONA BILBAO LEON

HOJA DE PEDIDO

PROVEEDOR
Tornillería Sanz
Vizcaya, 34, bajo
Eibar (GUIPÚZCOA)

Fecha 23-X-XX

PEDIDO N.° 3482-E

Muy Sres. nuestros:

Rogamos que nos envíen los artículos detallados a continuación, en las condiciones que se indican:

Fecha de entrega: 30-X-XX

Lugar: Gasolina, 37 JAÉN

Medio de transporte: s/m

Pago: Letra 90 d.

CONCEPTO	PRECIO UNITARIO	CANT.	IMPORTE
Arandelas cobre 32 mm	0,80	3.000	2.400,-
Tuercas latón 46-H	1,20	3.000	3.600,-

El albarán:

Es el documento que, junto con la mercancía, el vendedor envía al comprador, y que éste firma o sella, como justificante de la entrega. Es importante con vistas a posteriores comprobaciones en cuanto a fecha de entrega, cantidades servidas y especificaciones sobre las mercancías.

Los datos que deben figurar en un albarán son:

Albarán: impreso en el que se detallan las mercancías que el vendedor entrega al comprador, y que éste firma para justificar la recepción.

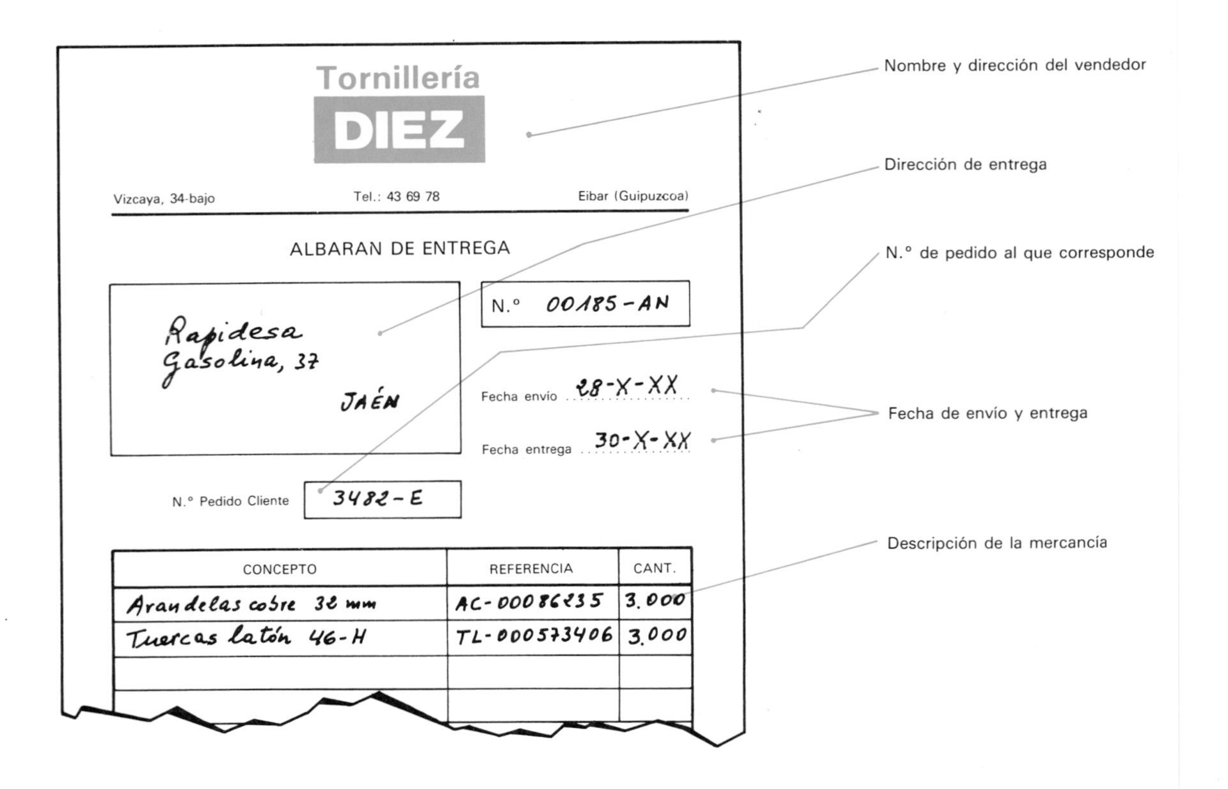
Tornillería
DIEZ
Vizcaya, 34-bajo Tel.: 43 69 78 Eibar (Guipuzcoa)

ALBARAN DE ENTREGA

Rapidesa
Gasolina, 37
JAÉN

N.° 00185-AN

Fecha envío 28-X-XX

Fecha entrega 30-X-XX

N.° Pedido Cliente 3482-E

CONCEPTO	REFERENCIA	CANT.
Arandelas cobre 32 mm	AC-00086235	3.000
Tuercas latón 46-H	TL-000573406	3.000

Factura: documento fechado que el vendedor entrega al comprador para exigirle el pago de sus servicios o suministros. Expresa el nombre de ambos, la cantidad, precio y descripción de las mercancías vendidas o de los servicios prestados.

La factura:

Acredita legalmente una operación de compra-venta. Normalmente la extiende el vendedor contra el comprador y en ella se relacionan los artículos que le ha servido. Tiene como objeto informar al comprador, exigiéndole el pago, de las características de los artículos suministrados, precio, forma de envío, fecha, forma de pago... Una vez pagada, su posesión tiene efectos justificativos del pago.

Los documentos de transporte:

Los envíos de mercancías pueden hacerse por carretera, ferrocarril, barco o avión. Pero, en cualquier caso, los artículos deberán ir acompañados de una serie de documentos, de los que el más importante es la llamada *hoja de ruta.* En ella debe figurar:

— *la fecha de expedición.*
— *el nombre y dirección del destinatario.*
— *la identificación del transportista y del medio empleado.*
— *las etapas del viaje.*
— *el número y naturaleza de las mercancías.*
— *la indemnización a que puede dar lugar el retraso en la entrega.*

Los documentos de cambio:

Pueden ser:

— A día fijo. En ellos figura la fecha en que se ha de abonar la cantidad debida. Si el pago se efectúa de ella, puede concederse un descuento.

— A la vista: Deben ser pagados en el momento de su presentación al cobro.

Siempre que el deudor entregue al acreedor el importe que le debe, puede exigirle un *recibo* como justificante del pago.

Recibo: documento en el que el acreedor reconoce que el deudor ha cancelado una deuda.

Los documentos bancarios:

— Relación de cuentas de depósito: *Es una lista de las operaciones realizadas por un banquero en nombre de un cliente que abre en su banco una cuenta de depósito.*

— Notas de descuento: *Indican el detalle de los efectos que el banquero ha pagado, antes de su vencimiento, a su cliente; el valor nominal y el efectivo, y la* comisión *y* corretaje *que el banquero cobra.*

— Relación de cuentas corrientes: *Es análoga a la de cuentas de depósito, pero señala, además, los pagos de intereses y las órdenes de compra y venta de títulos.*

Comisión: retribución percibida por un vendedor o un agente, determinada como porcentaje sobre el volumen de la operación realizada.

Corretaje: remuneración que percibe un corredor por sus servicios.

Ejercicios

1) Conteste las siguientes preguntas:

   a) *¿Cuántos documentos relacionados con la contabilidad recuerda?*
   b) *¿Cuál es la diferencia entre albarán y factura?*
   c) *¿Qué es un pedido?*
   d) *¿Qué es una hoja de ruta?*
   e) *¿Para qué sirve un recibo?*

2) Explique los términos siguientes:

contabilidad	*forma de envío*
amortización	*precio unitario*
balance	*consumidor*
proveedor	*identificación*

IV. *La actividad mercantil*

1. Sociedades mercantiles

De acuerdo con su forma jurídica, las empresas pueden ser de dos tipos: individuales y sociales.

La empresa individual es propiedad de una sola persona, que ejerce las funciones de director y es el responsable, con todos sus bienes, del ejercicio de la actividad mercantil que desarrolla.

La sociedad mercantil es aquella que se forma mediante contrato por el cual dos o más personas se obligan a poner en común bienes, industria o alguna de estas cosas con ánimo de repartir las ganancias que se obtengan mediante el ejercicio del comercio. Se formaliza en escritura pública y se inscribe en el Registro Mercantil. (A partir de las leyes de 1951 y 1953, la sociedad anónima y la de responsabilidad limitada se considerarán como mercantiles.)

Las sociedades mercantiles pueden ser:

a) **Sociedad colectiva:** Es aquella en la que todos los *socios,* en nombre colectivo y bajo razón social, se comprometen a participar, en la proporción que se establezca, de los mismos derechos y obligaciones, respondiendo de las deudas sociales con todos sus bienes de forma solidaria y personal.

Socio: individuo que forma parte de una sociedad.

b) **Sociedad comanditaria o en comandita:** La que, bajo una razón social, está formada por dos clases de socios con características diferentes: los socios comanditarios, que responden con los *fondos* que aportan a dicha sociedad, y los socios colectivos, encargados usualmente de la gestión, que tienen responsabilidad personal solidaria e ilimitada por las deudas de la sociedad.

Fondo: caudal o conjunto de bienes.

Participación: hecho de tener parte en el capital, beneficios o gestión de una sociedad o empresa.

Acción: título entregado al suscriptor de una fracción del capital de una sociedad, para hacer constar sus derechos de asociado.

c) **Sociedad limitada (S. L.):** Es toda sociedad mercantil en la que la responsabilidad de los socios está limitada a su aportación de capital. Este no debe ser superior a cincuenta millones de pesetas, y está representado por *participaciones* iguales e individuales (títulos no negociables). Los socios, que no excederán de cincuenta, no responden personalmente de las deudas sociales.

d) **Sociedad anónima (S. A.):** Es aquella formada por un capital propio dividido en *acciones,* en la que el socio responde únicamente con el capital aportado, representado por los títulos negociables o acciones.

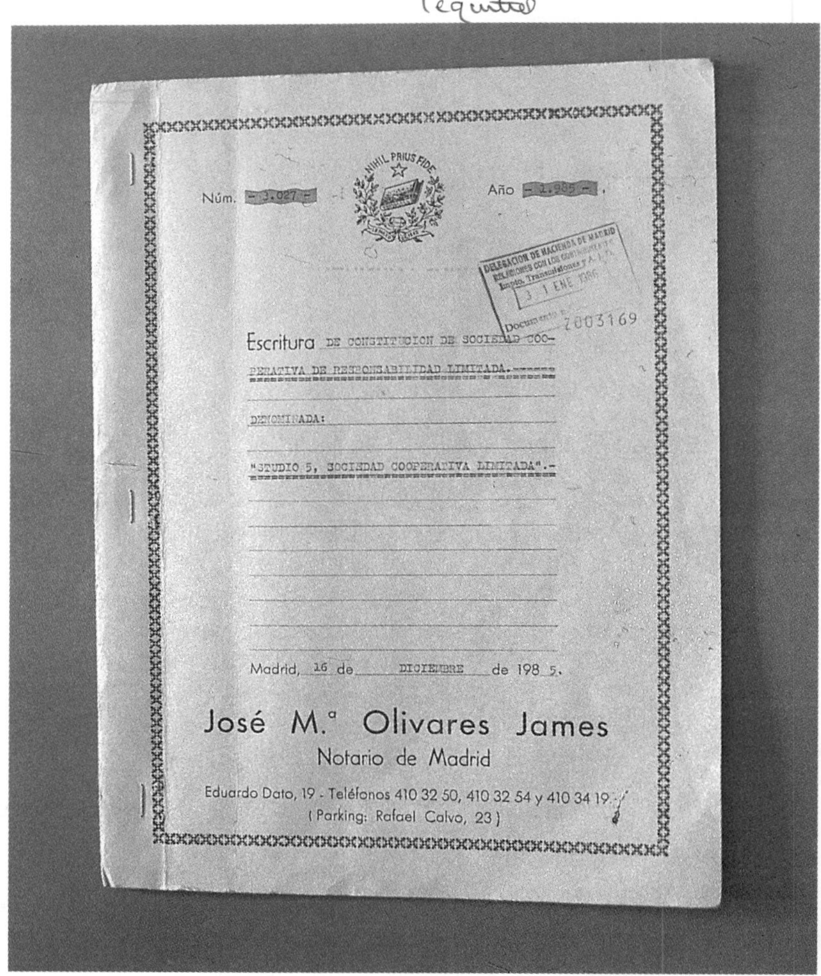

NIHIL PRIUS FIDE

Núm. - 3.027 -　　　Año - 1.985 -

DELEGACION DE HACIENDA DE MADRID
Impto. Transmisiones y A.J.D.
3 1 ENE 1986
Documento nº 2003169

Escritura DE CONSTITUCION DE SOCIEDAD COOPERATIVA DE RESPONSABILIDAD LIMITADA.-

DENOMINADA:

"STUDIO 5, SOCIEDAD COOPERATIVA LIMITADA".-

Madrid, 16 de DICIEMBRE de 198 5.

José M.ª Olivares James
Notario de Madrid
Eduardo Dato, 19 - Teléfonos 410 32 50, 410 32 54 y 410 34 19.
(Parking: Rafael Calvo, 23)

Ejercicio

Esquematice las características de las distintas clases de sociedades mercantiles, según el ejemplo siguiente:

Sociedad colectiva
Tipo de sociedad: mercantil.
Compuesta por: socios (clases de).
Gestión: colectiva.
Responsabilidad: solidaria, personal, ilimitada.

REGISTRO MERCANTIL

Tiene por objeto la inscripción de comerciantes, sociedades mercantiles, buques, aeronaves, personas (físicas o jurídicas) que posean bienes sujetos a inscripción. Dicha inscripción puede ser voluntaria u obligatoria. Es obligatoria para navieras, sociedades mercantiles e industriales y para las personas que tengan bienes sujetos a inscripción. Es, pues, un registro público, y la certificación es el único medio que acredita el contenido de los asientos del Registro.

2. Documentos de la actividad mercantil

Toda actividad mercantil precisa quedar reflejada en una serie de documentos, entre los cuales podemos considerar los medios de pago, los contratos de servicios y los documentos de carácter oficial, comunes a todo tipo de empresa. Asimismo ha de contar con documentos de compra-venta, pedidos, albaranes y facturas, propios de las empresas comerciales; y, por último, aquellos que representan un hecho relacionado con las empresas industriales, como pueden ser los referidos a la determinación de los *costes* de producción.

Coste: importe, expresado generalmente en moneda, de las cargas necesarias para la adquisición o la producción de un bien o un servicio.

Entre los documentos de pago tenemos:

a) **La letra de cambio:** Se trata de un documento regulado jurídicamente por el Código de Comercio, mediante el cual el **librador** (acreedor) manda al **librado** (deudor) que entregue a un tercero (**tomador**) la cantidad indicada en una fecha determinada (vencimiento).

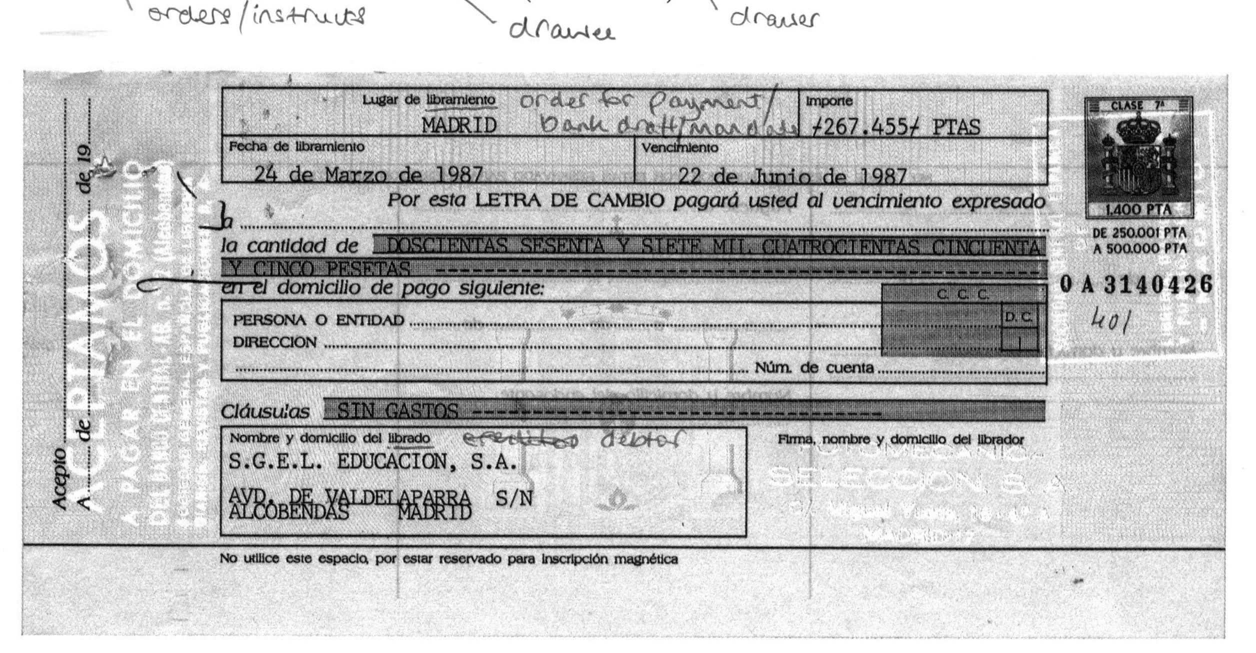
Lugar de libramiento: MADRID
Importe: ≠267.455≠ PTAS
Fecha de libramiento: 24 de Marzo de 1987
Vencimiento: 22 de Junio de 1987
CLASE 7ª — 1.400 PTA — DE 250.001 PTA A 500.000 PTA
0 A 3140426
Por esta LETRA DE CAMBIO *pagará usted al vencimiento expresado*
a ....
la cantidad de DOSCIENTAS SESENTA Y SIETE MIL CUATROCIENTAS CINCUENTA Y CINCO PESETAS
en el domicilio de pago siguiente:
PERSONA O ENTIDAD ....
DIRECCION ....
C. C. C. — D. C. — Núm. de cuenta ....
Cláusulas SIN GASTOS
Nombre y domicilio del librado: S.G.E.L. EDUCACION, S.A. AVD. DE VALDELAPARRA S/N ALCOBENDAS MADRID
Firma, nombre y domicilio del librador
Acepto A .... de .... de 19...
No utilice este espacio, por estar reservado para inscripción magnética

Si la **letra** no va extendida en el papel timbrado de la cuantía correspondiente al importe de la letra, ésta carece de su fuerza ejecutiva propia.

Los requisitos formales de una letra de cambio son:

— Designación del lugar, día, mes y año en que se libra la letra.
— Firma del librador (ha de ser autógrafa).
— Nombre, apellido y razón social o título del tomador. El espacio reservado para el nombre del tomador no puede aparecer en blanco o con la expresión «al portador».
— Nombre, apellido y *razón social* o título del librado. La ley permite girar una letra a la propia orden, en cuyo caso el librador es, a la vez, tomador (el librador ordena al librado que le pague a él mismo).
— Vencimiento, que puede ser de varios tipos:

- a la vista: se paga a su presentación;
- a X días vista o a X meses fecha: el pago debe hacerse X días o X meses después de la fecha de expedición de la letra;
- a X días, X meses vista: el pago deberá efectuarse a X días o X meses después de haber sido presentada la letra para su aceptación;
- a día determinado: el pago se tendrá que hacer el día que se indica en el vencimiento.

Razón social: nombre con el que es legalmente conocida una sociedad mercantil.

Puede suceder que el tomador de la letra se la transmita a otras personas. Dicha transmisión, o *endoso,* consiste en poner al dorso de ella una cláusula en la que se indica a quién se transmite, cómo se recibe el valor de la misma, la fecha y la firma del que endosa la letra.

Endoso: acción de ceder a favor de otro un documento de crédito expedido a la orden, haciéndolo así constar al dorso.

La persona que transmite la letra es el endosante y el que la recibe es el endosatario. El endoso ha de ser a la orden.

Ejercicio

Explique las expresiones siguientes:

a) *medios de pago*
b) *coste de producción*
c) *regulado jurídicamente*
d) *papel timbrado*
e) *fuerza ejecutiva*
f) *requisitos*
g) *al dorso*
h) *a la orden*
i) *girar una letra*
j) *al portador*

b) **El aval:** Se trata de una garantía cambiaria respecto del pago de la letra, que se da a favor del aceptante, de los endosantes o del librador.

El avalista interviene para reforzar con su firma la garantía de cobro de la letra. El avalista es, pues, un fiador.

En el nuevo formato de las letras de cambio, establecido por la Orden del 31 de julio de 1975, hay un espacio para ser rellenado, en su caso, que dice: «Por **aval** de...», además de dos apartados destinados a la fecha del aval y el nombre y domicilio del avalista.

c) **El cheque:** Es un documento de libranza de fondos que permite al titular de una cuenta corriente bancaria disponer de los que tiene depositados en ésta para sí o en favor de otra persona. Los cheques han de llevar los datos siguientes:

— número de identificación;
— la fecha en letra;
— la cuantía en guarismos (cifras) y en letra;
— la firma del librador;
— la identificación de su cuenta corriente;
— a quién debe pagarse el importe que se hace figurar.

Este último apartado, indicado por «Páguese a ... por este cheque», se puede rellenar de distintas maneras:

- **al portador:** se pagará a cualquiera que presente el talón en el banco;
- **nominativo:** es decir, a nombre de la persona o entidad que debe cobrarlo;
- **a la orden de:** persona o entidad a la cual el banco debe hacerlo efectivo;
- **cruzado:** se trazan dos líneas paralelas transversales en el anverso del cheque con la expresión «y Cía.», para indicar que sólo se podrá hacer efectivo mediante abono en la cuenta corriente del beneficiario.

Banco de Vizcaya
AGENCIA URBANA HERMOSILLA
HERMOSILLA, 75. MADRID-1
0102
0946 4 0 001 371280 3
PTAS. //1.855.103.-//
PAGUESE POR ESTE CHEQUE AL PORTADOR
PESETAS UN MILLON OCHOCIENTAS CINCUENTA Y CINCO MIL CIENTO TRES PESETAS---
MADRID VENTIUNO DE ABRIL DE 19 87
(Fecha en letra)
9-8.661.1566
8661156 0102 0946 0013712803

El 1 de enero de 1986 entró en vigor la nueva ley Cambiaria 19/1985, cuyo título II establece la nueva normativa sobre el cheque, que supone una acertada modificación de su actual regulación, que había llegado a ser inútil para garantizar que el cheque o talón resultase un medio eficaz de pago.

Entre los aspectos más relevantes de la nueva ley Cambiaria y del cheque podemos señalar:

- sobre la denominación: para que el cheque no quede desprotegido de la norma legal, a continuación del texto «Páguese a...» se deberá incluir la expresión «por este cheque...»;
- sobre la extensión: la ley expresa la obligatoriedad de indicar fecha e importe del cheque, pero exime de hacerlo en letra. No obstante, para evitar posibles alteraciones, es recomendable esta práctica.

  En relación con la fecha de pago, se establece que el cheque será pagadero a su presentación. Asimismo, para que el cheque no pierda su poder ejecutivo, debe ser presentado al cobro dentro de los 15 días siguientes a su fecha de emisión;
- sobre el pago parcial: una novedad importante que se incorpora es la obligación, por parte de los bancos librados, de efectuar el pago parcial de un cheque que se presente al cobro en aquellos casos en que el librador no disponga de saldo suficiente en el momento de la presentación;
- sobre el *protesto:* la ley reconoce, como equivalente al protesto notarial, la declaración sustitutiva realizada por la entidad librada, dotándole de la misma fuerza legal y ejecutiva que tenía aquél.

Protesto: en comercio, diligencia que, por no ser aceptada o pagada una letra de cambio, se practica bajo fe notarial para que no se perjudiquen los derechos y acciones entre las personas que han intervenido en el giro o en los *endosos* de él.

Ejercicios

1) Escriba en columnas paralelas los datos que han de ser rellenados en una letra de cambio y en un talón. A continuación, en columnas paralelas, señale las formas de pago de una y otro.

2) ¿Recuerda quién es o qué es...?

a) *beneficiario*	g) *razón social*
b) *tomador*	h) *a la vista*
c) *avalista*	i) *guarismo*
d) *titular*	j) *importe*
e) *librado*	k) *nominativo*
f) *endosante*	l) *cruzado*

d) **Tarjeta de crédito:** Es un medio de pago que se inició en 1949 en Estados Unidos con la del Diner's Club, apareciendo poco después la American Express. En los últimos años ha adquirido una gran importancia, ya que permite al titular de la misma obtener bienes o servicios sin entregar dinero en metálico.

En la práctica, toda tarjeta supone un contrato entre una entidad de crédito (banco o caja de ahorros), que emite la tarjeta, y una entidad comercial (tienda, hotel, empresa de servicios). El banco emisor, a su vez, contrata con el titular de la tarjeta las condiciones de su utilización, que se rigen por las que se señalan al dorso de la tarjeta o en el formulario que ha de rellenar el solicitante.

Además de ser un medio de pago, es un instrumento de crédito, especialmente en aquellas tarjetas de pago diferido, que permiten abonar el importe de las facturas en varias mensualidades.

Para poder disponer de una **tarjeta** de **crédito** bancaria (Visa, American Express, Master Charge, 4B, 6000) es preciso ser titular de una cuenta corriente, en la que van a hacerse los cargos. Generalmente, las tarjetas tienen una fecha límite de utilización, que suele ser anual.

e) **Transferencia bancaria:** Consiste en dar orden al banco para que haga un abono en la cuenta de la persona o empresa a la que se tenga que efectuar un pago, con cargo a nuestra cuenta corriente. En el caso de no tener cuenta corriente en un banco, se puede hacer un pago por transferencia rellenando simplemente el impreso correspondiente y entregando en ventanilla la cantidad que se desea transferir, más los gastos y comisión que cobra el banco por la operación.

f) **Pago por giro postal y reembolso:** El giro postal es un sistema consistente en remitir el dinero por medio del servicio de Correos.

El reembolso también se puede hacer a través de Correos, y realiza una función semejante a una letra que se cobrará a través de este servicio.

Ejercicio de comprensión

a) *¿En qué se diferencia una sociedad limitada de una sociedad anónima?*
b) *¿Qué función cumple el aval respecto de la letra de cambio?*
c) *¿Cuántos documentos recuerda que representen las actividades mercantiles?*
d) *¿Por qué es conveniente «cruzar» un cheque?*
e) *¿Qué es la tarjeta de crédito y para qué sirve?*
f) *¿Cuántos medios de pago recuerda?*

ORDEN DE PAGO | G-1 | TALON PARA DESTINATARIO

IMPORTE (en cifras)................ PESETAS

IMPORTE (en letras)

PTS.

Páguese a D. ....

C/. .... Nº .... Piso ....

Localidad .... D.P. ....

Provincia (................)

OFICINA PAGADORA ....

GIRO NUMERO ....

M YAÑEZ

Sellos de franqueo por tasa fija.

IMPORTE .... PESETAS

REMITE D. ....

C/. .... Nº ....

Localidad D.P.

Provincia (................)

TEXTO: ....

GIRO NUMERO ....

Los recuadros enmarcados en trazo grueso los cumplimentará el funcionario

Modelo de impreso de giro postal

ABREVIATURAS EN DOCUMENTOS MERCANTILES

a cgo.: a cargo
a cta.: a cuenta
Afmo.: afectísimo
Apdo.: apartado
atto./atta.: atento/a
B.O.E.: Boletín Oficial del Estado
c/c.: cuenta corriente
ch.: cheque
Cía.: Compañía
dcha.: derecha
d/f: días fecha
dto.: descuento
d/v: días vista
ff.cc./FF.CC.: ferrocarril
gral.: general
Hnos.: hermanos
ITE: Impuesto Tráfico de Empresas
IVA: Impuesto sobre el Valor Añadido
L: letra de cambio
Ltda.: limitada
n/: nuestro/a
n/c o n/cgo.: nuestro cargo
n/cta.: nuestra cuenta
PP. o pp.: por poder
ppdo.: próximo pasado (acaba de transcurrir)
S.A.: Sociedad Anónima
s.b.f.: salvo buen fin (a excepción de)
s.e.u.o.: salvo error u omisión
S.L. o S.Ltda.: Sociedad Limitada
Sr.: Señor
Sra.: Señora
Sres.: Señores
Srta.: Señorita
S/o: su orden
S. en C.: Sociedad en Comandita
s.s.s.: su seguro servidor
V.º B.º: visto bueno
Vto.: vencimiento

3. El contrato

El **contrato** es un acuerdo en virtud del cual dos o más personas adquieren un compromiso que comporta obligaciones mutuas. Así pues, la circulación de los valores patrimoniales está protegida y regulada por el Derecho mediante ese instrumento jurídico que es el contrato.

Los contratos mercantiles, de acuerdo con el artículo 50 del Código de Comercio, «en todo lo relativo a sus requisitos, modificaciones, excepciones, interpretación y extinción y a la capacidad de los contratantes, se regirán por las leyes generales del derecho común».

Según el Código Civil, que regula la mayor parte de los contratos, para que exista un contrato se requieren tres elementos:

- causa: razón o motivo para efectuar el contrato.
- objeto: cosa o bienes sobre los que trata el acuerdo.
- consentimiento: el de los contratantes.

El contrato mercantil es un acto jurídico que realiza el empresario con el propósito de servir o llevar a cabo la finalidad particular de su empresa. De acuerdo con esto, se pueden clasificar los contratos en:

- contratos de cambio (compra-venta, permuta, cesión, *operaciones bursátiles,* transporte, de obra);
- contratos de colaboración (empresa, mediación, agencia de publicidad, de asistencia técnica, etc.);
- contratos de prevención de riesgos (*seguros*);
- contratos de conservación o custodia (depósito);
- contratos de *crédito* (*préstamo* y los bancarios en general);
- contratos de garantía (*fianza, prenda* e *hipoteca)*.

Operación bursátil: concerniente a las que se realizan en la Bolsa.

Seguros: función económica cuya finalidad es permitir la indemnización de los daños sufridos por bienes o personas, mediante la aceptación de un conjunto de riesgos y su compensación. Por extensión, sector que agrupa a las empresas que efectúan dicha función.

Crédito: acto de confianza que lleva aparejado el intercambio de dos prestaciones desfasadas en el tiempo: los bienes o medios de pago entregados, contra la promesa o esperanza de pago o reembolso.

Préstamo: contrato por el que una persona transmite a otra el uso de un bien durante un cierto tiempo.

Contrato de fianza: contrato consensual por el que una persona (fiador) se constituye deudora de una obligación ajena, sin relevar de ella al deudor, obligándose a su pago, solidaria o subsidiariamente, con el deudor.

Prenda: cosa mueble que se da en garantía del cumplimiento de una obligación.

Hipoteca: finca con que se garantiza el pago de un crédito. Derecho real que grava bienes inmuebles, sujetándolos a responder del cumplimiento de una obligación o del pago de una deuda.

Ejercicio de asimilación

1) a) *El acuerdo del compromiso adquirido por dos o más personas, con obligaciones mutuas, regulado por el derecho, es ....*
   b) *Los requisitos, modificaciones, excepciones, interpretación, extinción y capacidad de los contratantes en los contratos mercantiles están regidos por ....*
   c) *De los tres elementos que se requieren para que exista un contrato, la causa es ...., el objeto es .... y los contratantes tienen que dar su ....*
   d) *El contrato mercantil es un acto jurídico mediante el cual el empresario trata de ....*
   e) *Un contrato de compraventa es un ejemplo de contrato de .... ; un contrato de seguros lo es de .... , y uno de préstamo es de ....*

2) Explique las siguientes abreviaturas:

   Apdo.:
   n/cta.:
   Vto.:
   Hnos.:
   PP.:

4. La quiebra y la suspensión de pagos

La quiebra

En sentido económico, es aquella situación en la que se halla un patrimonio que no puede pagar las deudas que pesan sobre él. Supone un desequilibrio entre bienes y deudas, entre activo y pasivo.

Suspensión de pagos

Es la situación de un comerciante que, por falta de liquidez o tesorería pasajera, se ve imposibilitado (pese a poseer bienes suficientes) a atender la totalidad de sus obligaciones en sus respectivos vencimientos.

Ejercicios

1) Lea el artículo que encontrará a continuación e indique si las afirmaciones siguientes son verdaderas o falsas (V/F).
   a) *El ajuste de la economía española ha podido ser la causa del crecimiento menor de los morosos de la banca.*
   b) *INE significa Instituto Nacional de Empresa.*
   c) *El número de suspensiones de pago ha aumentado en 1984.*
   d) *En cambio, las quiebras declaradas han descendido.*
   e) *Una de las causas de la moderación de la siniestrabilidad podría ser que no se ha recurrido tanto al crédito como forma de financiación de la actividad empresarial.*
   f) *El valor de los morosos aumentó el año pasado por encima del 2 %.*

2) Defina los términos:
   a) *moroso*
   b) *siniestrabilidad*
   c) *falta de liquidez*
   d) *en litigio*
   e) *dudoso cobro*

El retroceso se ha notado en un menor crecimiento de los morosos de la banca

Las quiebras y suspensiones de pagos empiezan a bajar claramente, después de muchos años de aumento

GUSTAVO MATÍAS, **Madrid**

El número de quiebras y suspensiones de pagos, al igual que el volumen de recursos afectados, ha disminuido claramente durante 1984, por primera vez en varias décadas, según los datos comunicados por los juzgados de toda España al Instituto Nacional de Estadística (INE). Este fenómeno, ya esbozado con timidez en 1983, ha contribuido a un menor crecimiento de los morosos de la banca, que en los últimos años sufrió notables aumentos. El ajuste de la economía española parece haber causado este descenso de la siniestrabilidad.

Además de disminuir la importancia de los concursos, en 1984 fueron levantadas varias de las grandes suspensiones de pagos declaradas en 1983, como la del grupo público Alumina-Aluminio, la de la multinacional Westinghouse y la de Bruguera-Libresa. También se sentaron las bases para el convenio en la papelera Torras Hostench. Pero hubo otras suspensiones de considerable dimensión, como las de General Eléctrica Española (segunda multinacional de bienes de equipo que recurre a esta medida, con 12.700 millones de pasivo), CECSA-Consumo (última firma española de televisores, con 7.069 millones de pesetas de deudas) y el grupo editorial Océano (2.167 millones de deudas).

Según los datos del INE, el número de suspensiones de pagos declaradas en 1984 (en total 729) ha bajado un 14,4 % respecto a las del ejercicio anterior (841). La caída ha sido todavía mayor —concretamente del 31,7 %— si se comparan los pasivos de las empresas afectadas (deudas y capitales propios o reservas). Este dato es el más significativo, debido a que las deudas en suspensión inciden sobre otras empresas y personas: la clientela, la banca, los trabajadores e incluso el Estado y la Seguridad Social.

Falta de liquidez

En conjunto, los pasivos implicados han sumado 118.198 millones de pesetas, frente a los 170.496,5 millones contabilizados durante 1983. Igualmente, el total de los activos (instalaciones, mercancías, etcétera) ha bajado un 29,2 %, desde 291.221 millones de pesetas en 1983 a 170.496,5 en el último ejercicio.

También las quiebras declaradas —normalmente, por situaciones arrastradas de años anteriores— han acusado ciertos descensos, aunque de menor magnitud que los de suspensiones de pagos. Durante 1984 han sido 149, un 6,3 % menos que en 1983. Los activos de las empresas quebradas descendieron un 47,7 % (desde 16.630 a 10.362 millones de pesetas). No obstante, los pasivos han sido todavía un 3,9 % superiores (19.649 millones en el último año, frente a los 18.913 millones del anterior).

El conjunto de las quiebras y suspensiones de pagos ya había registrado un tímido descenso en 1983, facilitado porque 1982 fue el de la suspensión del grupo público Alumina-Aluminio, con unos 100.000 millones de pesetas de pasivo. Pese a esta distorsión en las comparaciones, los 189.000 millones de capital y deudas afectados por concursos quedaron muy próximos a los 200.239 millones de 1982.

De las 729 suspensiones de pagos, 532 (casi el 73 %) alegaron como causa desencadenante la falta de liquidez. En 1983 este motivo fue citado en el 68 % de los casos. La escasez de demanda y, a mayor distancia, la baja de productividad adquirieron menor importancia. En cuanto a las propuestas

QUIEBRAS DE EMPRESAS EN 1984

	N.º	Activo*	Pasivo*
Diciembre	13	545,8	1.560,5
Noviembre	8	200,7	292,3
Octubre	26	1.151,5	1.277,4
Septiembre	13	529,7	676,8
Agosto	1	—	—
Julio	7	28,2	131,1
Junio	8	2.612,5	7.862,2
Mayo	16	459,4	506,1
Abril	11	4.015	5.898,5
Marzo	20	152,6	334,9
Febrero	14	83,6	235
Enero	12	583,2	874,8
Totales	**149**	**10.362,2**	**19.649,6**

SUSPENSIONES DE PAGOS EN 1984

	N.º	Activo*	Pasivo*
Diciembre	45	15.956,1	10.581,7
Noviembre	42	17.458,8	9.942,5
Octubre	54	15.424,1	7.089,4
Septiembre	80	26.472,3	12.291,7
Agosto	6	2.828,7	1.707,8
Julio	53	13.482,5	6.835,4
Junio	78	27,752,9	18.278,2
Mayo	96	17.935,6	10.008,2
Abril	60	14.855,9	8.704.2
Marzo	80	21.390,1	13.555,3
Febrero	69	13.224,8	7.994,5
Enero	66	19.441,2	11.209,2
Totales	**729**	**206.223**	**118.198,1**

*** Cantidades en millones de pesetas.**

de solución de los concursos, se mantiene con respecto a años anteriores un amplio dominio de las destinadas a que los acreedores esperen a cobrar las deudas durante un plazo de hasta tres años. También persiste la mínima presencia de las propuestas de quita (recuperar sólo una parte de la deuda).

El aumento relativo en el número de expedientes motivados por la falta de liquidez contrasta con la impresión, recogida en medios financieros, de que la mejora en los resultados empresariales durante los últimos años, y un menor recurso al crédito como forma de financiar la actividad, han contribuido a moderar la siniestrabilidad. Según fuentes del INE, los datos de los juzgados no pueden ser utilizados para confirmar o refutar dicha impresión, aunque a nivel de hipótesis es lógico que hayan influido tanto los altos niveles de siniestrabilidad de años anteriores como la mejora de excedentes empresariales (aumento del 22 % en 1984, según el avance de la Contabilidad Nacional).

Los morosos

Por otra parte, los balances facilitados por la banca privada al Banco de España indican que el valor de los morosos sólo creció el pasado año un 2,4 %. Aunque también desaceleró algo su aumento, el conjunto del riesgo calificado por los propios bancos como moroso, en litigio o de cobro dudoso, todavía se incrementó durante 1984 un 11,4 %, pasando de 604.000 a 673.000 millones de pesetas.

Así, las provisiones frente a insolvencias detraídas de la cuenta de resultados por los bancos, que son deducibles del impuesto sobre beneficios, han aumentado de nuevo un 30,2 % (desde 311.000 a 405.000 millones de pesetas). Ahora estas últimas representan el 60,2 % del riesgo moroso o de dudoso cobro frente al 51,5 % a finales de 1983.

El País, 12-V-1985.

5. Documentos oficiales

No se puede iniciar ninguna actividad mercantil sin que previamente haya sido autorizada por la autoridad competente. Si se trata de un establecimiento, el primer paso es la solicitud de la *licencia* fiscal de actividades comerciales e industriales, más conocida como licencia de apertura. Una vez autorizada dicha apertura, el establecimiento está obligado al pago de las **tasas** y *arbitrios* que le señale el departamento municipal correspondiente.

Licencia: autorización administrativa para llevar a cabo ciertas operaciones o actividades.

Arbitrios: derechos o impuestos locales para gastos públicos.

Baja (darse de): cesar en el ejercicio de una industria o profesión.

Alta (darse de): ingresar en el número de los que ejercen una profesión u oficio reglamentado.

Cuota: parte o porción fija proporcional.

En el caso de que se cierre el establecimiento, habrá que comunicar la *baja* del mismo en el impreso correspondiente.

Por otra parte, las empresas tienen que pagar el impuesto sobre actividades y beneficios comerciales e industriales. Para ello, antes de iniciar una actividad hay que *«darse de alta»* en Hacienda y abonar anualmente la cuota fija o licencia fiscal en la Delegación de Hacienda, así como la *cuota* de beneficios.

Antes del ingreso de España en la Comunidad Europea, dentro del grupo de impuestos indirectos, existía el Impuesto sobre el Tráfico de Empresas (ITE), que ha quedado englobado en el Impuesto sobre el Valor Añadido, del que luego hablaremos.

Siempre que una empresa o persona particular ha de dirigirse por escrito a cualquier tipo de autoridad (responsables de los diversos organismos de la Administración, Ayuntamientos, Comunidades Autónomas, etc.) para formular una solicitud o petición, debe hacerlo por medio de una **instancia,** en la que han de figurar:

Datos del solicitante: Nombre y apellidos
DNI (Documento Nacional de Identidad)
Estado civil
Profesión
Dirección: calle/plaza, n.º
Teléfono
Localidad C.P. (código postal)

Exposición de motivos: EXPONE:
Petición: SOLICITA:

Lugar, fecha y firma.
Destinatario: Autoridad a quien va dirigida, con el tratamiento adecuado.
Organismo.

B.O.C.M. SABADO 26 DE ABRIL DE 1986 Pág. 3

ANEXO 1

SOLICITUD DE AYUDA

(Para entregar en el Registro General, calle Sagasta, número 13 - 28010 MADRID)

Don/Doña .... con Documento Nacional de Identidad número.................................... en representación del (equipo de profesores, claustro, comunidad escolar) del Centro ....
....
sito en calle/plaza.. número.......................
localidad .... C.P. .... teléfono ....

EXPONE:

Que a la vista de la convocatoria de ayudas a la realización de experiencias de innovación educativa, convocadas por Orden del de de 198

SOLICITA:

Le sea admitida la presente solicitud para la realización del proyecto titulado..
...., cuyo desarrollo y presupuesto se adjuntan.

Madrid, a de de 198

Visto bueno: Director del centro o Consejo Escolar.

ILUSTRISIMA SEÑORA DIRECTORA GENERAL DE EDUCACION.—
CONSEJERIA DE EDUCACION Y JUVENTUD DE LA COMUNIDAD DE MADRID.

Modelo de instancia. *Boletín Oficial de la Comunidad de Madrid.*

Por el contrario, cuando es alguno de esos organismos citados el que ha de poner un hecho en conocimiento de la persona o empresa interesada, o contestar a una instancia que ha recibido de ellas, se sirve de un oficio a tal fin, en el que se consignan:

Membrete del organismo

Referencia:

Asunto:

TEXTO

Lugar, fecha y firma.

Destinatario.

Ejercicio

Complete el siguiente crucigrama con palabras de esta lección:

Horizontales.

1. Fiador.
2. Al revés, remiten dinero.
3. Instrumento jurídico.
4. Impuesto.
5. Transmitir una letra de cambio.
6. Una de las sociedades mercantiles.
7. Devuelve dinero.
8. Cobrará el talón que presente.
9. Acepto.
10. Condiciones.
11. Situación irregular de una empresa.
12. Actividad mercantil.

Verticales.

Si se fija bien, entre las tres primeras soluciones encontrará un familiar.

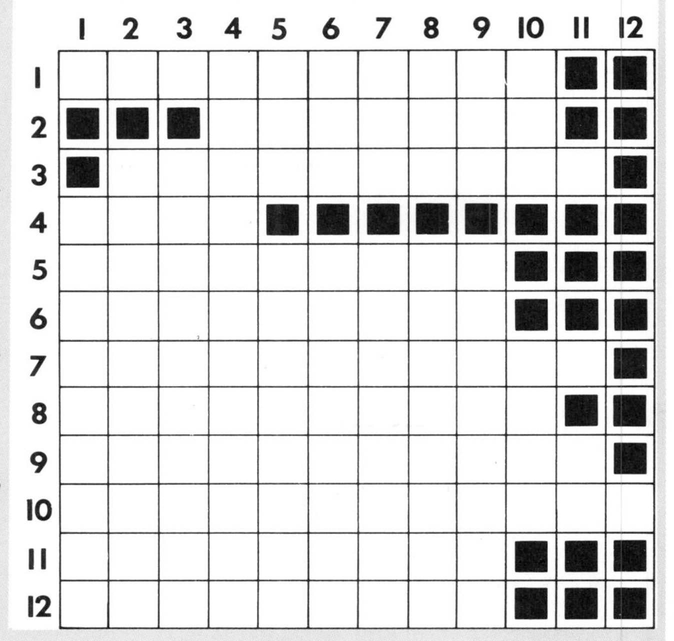

CONSOLIDACION: ¿Qué recuerda usted de...?

I. LA ECONOMIA

— Complete las frases siguientes con algunos de los términos que han aparecido en esta lección.

a) .... es el gasto de aquellas cosas que con el uso se destruyen o extinguen.
b) .... es la que reporta la utilización de la última unidad empleada en el proceso de consumo.
c) El hombre tiene una serie de .... que trata de satisfacer.
d) Todos los sistemas económicos deben resolver tres cuestiones básicas: ...., ... y cómo distribuir la producción.
e) Se llama .... a la capacidad de adquirir, de comprar.
f) El .... es el sector de servicios.
g) Se llama .... al estado comparativo de la importación y exportación de artículos mercantiles de un país.
h) Por paro se entiende la carencia de ....
i) Por excedente se entiende ....
j) A la reserva de una parte del gasto ordinario se le denomina ......

II. EL COMERCIO

— ¿Qué entiende por materia prima?
— ¿Y mercado mayorista?
— ¿Qué es el monopolio?
— ¿En qué consiste el regateo?
— Diga todo lo que recuerde sobre el dinero.
— Resuma el contenido de la lección (máximo, 300 palabras).

III. LA CONTABILIDAD

— ¿En qué consiste la contabilidad?
— ¿Por qué hacer un balance?
— Diseñe un cuadro sinóptico que recoja todos los documentos del comercio.

IV. LA ACTIVIDAD MERCANTIL

— Escriba todo lo que sepa sobre las clases de sociedades mercantiles.
— Diseñe un cuadro sinóptico para recordar los distintos documentos de la actividad mercantil y otro para los documentos oficiales.
— ¿Qué es el contrato? Tipos.

Ejercicios

1) Usted es el responsable del servicio de documentación de su empresa. Escriba una nota de solicitud de información, una solicitud de suscripción a una revista oficial y rellene un boletín de suscripción.

2) Escriba las abreviaturas correspondientes a:

apartado *limitada* *descuento* *visto bueno*
derecha *atento* *compañía* *cuenta corriente*

V. La empresa

1. ¿Qué es una empresa?

En sentido amplio, es toda actividad humana organizada para la consecución de un fin, sea económico o no.

En términos mercantiles, una empresa es una unidad económica, con una estructuración que llamamos organización, en donde se combinan los factores básicos de la producción (naturaleza, capital, trabajo) y en la que se distingue jurídicamente entre los que son *propietarios* del *patrimonio* y lo aportan (capitalistas) y los que contribuyen con su trabajo (*asalariados* u obreros), y cuyo objetivo es la venta en el mercado de los productos obtenidos para conseguir el máximo *beneficio*.

Propietario: se aplica a la persona a quien pertenece cierta cosa, con respecto de ésta.

Patrimonio: conjunto de bienes muebles e inmuebles de alguien adquiridos por herencia familiar, o de cualquier otro origen.

Asalariado: persona que gana un sueldo con su trabajo.

Beneficio: provecho, ganancia, fruto o utilidad que se obtiene de una cosa.

EMPRESA	
CAPITAL	TRABAJO

Para conseguir los fines de dicha empresa, se establecen tres órganos básicos:

— El órgano directivo, que estudia los intereses de la empresa y planifica y hace proyectos para que se cumplan dichos intereses.
— El órgano ejecutivo, que se encarga de poner en práctica las normas recibidas del órgano directivo, del que depende.
— El órgano de control, que verifica el cumplimiento de las normas establecidas por la dirección y desarrolladas por el ejecutivo.

CAPITAL	TRABAJO
TECNICA	GESTION Y ORGANIZACION

Las funciones propias de una empresa son:

a) Dirección, que controla y coordina todas las demás, es decir:

- la función técnica, responsable de la fabricación, producción, *costos*, proyectos, etc.;
- la función comercial, encargada de la compra y venta de los bienes producidos, así como del estudio de mercados, equilibrio de *existencias*, etc.;
- la función financiera, que se encarga de buscar el dinero necesario, colocación del sobrante y concesión de créditos.

Costo: lo que cuesta una cosa.

Existencias: mercancías que obran en poder de uno en espera de la ocasión para venderlas o despacharlas.

b) Administración, que se responsabiliza del control de los movimientos de todas las anteriores. Además, elabora información

Tesorería: conjunto de dinero, valores u objetos de valor de una colectividad.

sobre existencias, créditos, etc., y confecciona estados de resultados y situaciones del patrimonio y *tesorería.*

c) Seguridad, que está encargada de todo lo que no abarcan las anteriores: control del personal, de las instalaciones, **archivos,** mantenimiento de edificios, etc.

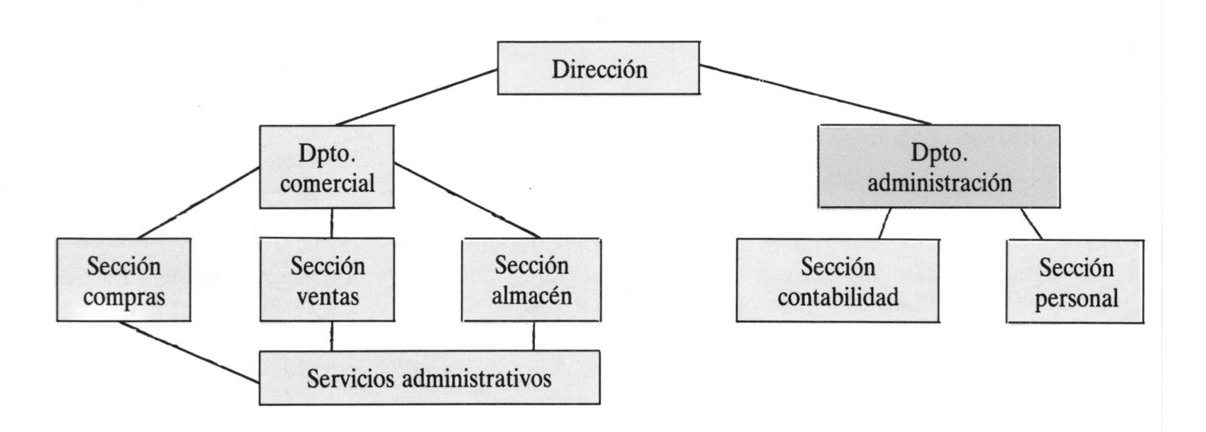

Ejercicio

1) Conteste las siguientes preguntas:

a) *¿Cuál es la característica de una empresa mercantil frente a las demás empresas humanas?*
b) *Elementos que forman una empresa mercantil.*
c) *¿Qué funciones tienen los órganos directivo, ejecutivo y el de control, respectivamente?*
d) *Elija en la columna B el adjetivo correspondiente a cada término de la columna A.*

A	B
hombre	*informativo*
patrimonio	*seguro*
beneficio	*natural*
información	*patrimonial*
empresa	*benéfico*
mantenimiento	*humano*
producción	*empresarial*
naturaleza	*directivo*
seguridad	*mantenido*
dirección	*productivo*

2. Clases de empresas

Según sus actividades, y atendiendo a los diferentes sectores económicos, las empresas se pueden clasificar así:

a) Por su forma jurídica:

- Individuales.
- Sociedades:
  — Colectivas

— Comanditarias
— Limitadas
— Anónimas

b) Por la legislación que las rige:

- Civiles
- Mercantiles
- De régimen especial

c) Por la función social que cumplen:

- Públicas o estatales
- Privadas
- Mixtas

d) Por su actividad:

- De producción:
  — Extractivas
  — Agropecuarias
  — Constructoras
  — Transformadoras
- Comerciales:
  — Transporte de mercancías
  — Detallistas
  — Mayoristas
  — Grandes almacenes y supermercados
- De servicios:
  — Públicos
  — Conservación
  — Instituciones financieras
  — Información
  — Hostelería
  — Culturales y recreativas
  — Ingeniería, asesoramiento
  — Benéficas

e) Por el volumen de sus operaciones:

- Pequeña empresa
- Gran empresa
- Mediana empresa
- Empresa multinacional

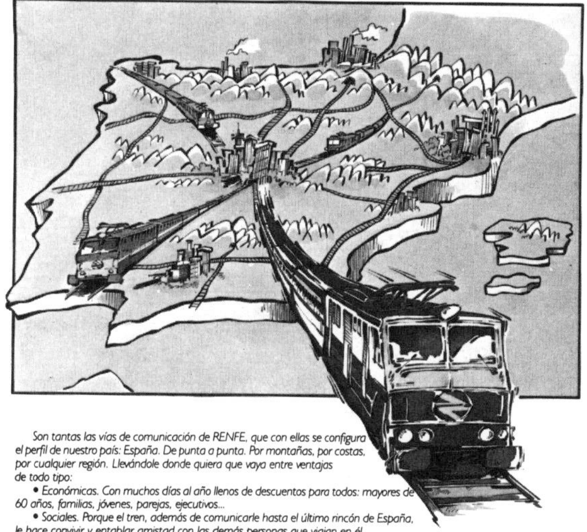

La empresa privada es aquella que controla un empresario con carácter particular, individualmente o en forma de **sociedad;** es decir, los recursos de la empresa no pertenecen al Estado ni a un organismo público, ni están gobernados por representantes del poder público. Otra característica importante de las empresas privadas es que su objeto es obtener beneficios, que pasan a incrementar el **patrimonio** particular o social de los empresarios, mientras que en las de carácter público se halla ausente el ánimo de **lucro.**

Por el contrario, las empresas públicas son las que pertenecen al Estado o a las corporaciones locales. La creación y participación del Estado en las empresas se justifica cuando la iniciativa privada no alcanza o no quiere intervenir en los objetivos que se consideran necesarios para el bienestar o seguridad de la comunidad.

En España, entre las empresas públicas dependientes del Estado, se cuentan la RENFE y todas las controladas por el Instituto Nacional de Industria (INI): Iberia, Ensidesa, SEAT, etc.

Como ejemplo reciente de la acción del Estado podemos citar la creación del INH (Instituto Nacional de Hidrocarburos), según la ley 45/1981, del 28 de diciembre, como principal instrumento de la política energética española: «Ante la dispersión anterior del control de los intereses públicos en el sector petrolífero se decide coordinarlos a través de una sola entidad de derecho público, creándose así el Instituto Nacional de Hidrocarburos», según palabras de su presidente. El patrimonio fundamental de esta empresa lo integran, además de una dotación inicial de 300 millones de pesetas, las **acciones** y **derechos,** pertenecientes al Estado, en Petrolíber, Hispanoil, Campsa, Enpetrol, Eniepsa, Enagás y Butano.

Ejercicios

1) De acuerdo con lo que acaba de leer, en el apartado c) habrá visto que, atendiendo a la función social que cumplen, las empresas pueden ser públicas, privadas y mixtas. ¿En qué consisten estas últimas? A continuación, escriba una pequeña exposición (150 palabras) sobre las ventajas e inconvenientes que tienen las empresas de esta clase en relación con las otras dos, es decir, las públicas y las privadas.

2) Redacte un breve informe sobre las empresas que componen el INH, a partir de los datos que se le ofrecen en el cuadro comparativo que encontrará a continuación:

Empresa	Año de creación	Objetivo	Personal	Producción	Otros datos
PETROLIBER	1961	importación de crudos y su refino.	800	3,7 millones de toneladas.	
HISPANOIL	1965	investigación, explotación y producción de hidrocarburos en el exterior.	250	4,6 millones de toneladas.	350 millones de barriles (reserva)
CAMPSA	1927	administración del monopolio de petróleos a través de su red comercial.	9.600		
EMPETROL		importación de crudos, producción y refino; aprovechamiento de los subproductos y comercialización de éstos.	6.000	17,6 millones de toneladas de productos comerciales. 941.000 tm de productos petroquímicos y 439.000 tm de lubricantes y otros productos.	
ENIEPSA	1960	investigación y explotación de hidrocarburos.	242	416.202 tm.	
BUTANO	1957	distribución y venta de gases propano y butano.	3.555		
ENAGAS	1972	abastecer y transportar el gas natural importado.	535	21 millones de termias.	

3. Empresas multinacionales

Son aquellas que, contando con recursos propios cuantiosos, desarrollan sus actividades en varios Estados.

Después de la segunda guerra mundial, los hombres de negocios norteamericanos llegaron gradualmente a considerar el mundo como una sola unidad económica. En su búsqueda de una eficiencia óptima, las empresas multinacionales trataron de crear un sistema económico mundial que permitiese coordinar las diversas funciones empresariales —producción, financiación y distribución— sin tener en cuenta las barreras, reglamentaciones o instituciones de las naciones-Estados. En la actualidad es tal su poder, que han llegado a ser consideradas como verdaderos imperios. Recordemos el caso de IBM, General Electric, General Motors, etc.,

La característica que mejor define a la compañía multinacional es la de tener múltiples nacionalidades, fines y objetivos, mediante el estable-

Filial: que depende de otro.

cimiento de *filiales* en los países que le interesa, acogiéndose a la legislación y nacionalidad de cada uno de ellos.

Tenemos que hacer una distinción entre empresas internacionales, multinacionales, transnacionales y supranacionales.

Las empresas internacionales son aquellas que realizan inversiones directas en el extranjero, sin que la empresa madre introduzca la gestión de esta inversión en su propia política doméstica. Se caracterizan por tener un domicilio social principal, que les da su propia nacionalidad. Sin embargo, realizan actividades comerciales en el extranjero mediante el establecimiento de agencias o filiales, constituidas para un fin preciso y determinado.

Este es el caso de la gran mayoría de las compañías aéreas internacionales.

Las empresas multinacionales practican la inversión directa en el extranjero a través de filiales, considerando las operaciones de éstas en un plano de igualdad con respecto a las actividades de la sociedad madre.

Las empresas transnacionales constituyen un paso más avanzado de la evolución de las multinacionales, y en ellas las decisiones son adoptadas en conjunto por personas de varias nacionalidades.

Las empresas supranacionales se dan cuando la empresa transnacional logra una total liberalización de toda vinculación nacional. Poseen un matiz distinto y característico, es decir, sobrepasan el concepto de nacionalidad única, debido principalmente a tratados internacionales en los que han intervenido distintos Gobiernos, quienes a su vez pueden ser los fundadores o accionistas de la empresa.

Ejercicios

1) Complete las frases siguientes con las palabras que se le dan a continuación: *vinculación, hombres de negocios, filiales, recursos, transnacionales, unidad económica, accionistas, domicilio social.*

   a) *Las empresas multinacionales surgieron como consecuencia de la concepción, por parte de los .... americanos, del mundo como una sola ....*
   b) *Las empresas multinacionales desarrollan sus actividades en diversos países, y cuentan con .... propios.*
   c) *Para ello, establecen .... en otras naciones, acogiéndose a las legislaciones y nacionalidades respectivas.*
   d) *Las empresas internacionales poseen un .... principal, que les da su propia nacionalidad.*
   e) *Un paso más avanzado lo representan las empresas.........., que se caracterizan porque las decisiones son tomadas en conjunto por personas de distintas nacionalidades.*
   f) *Estas se pueden convertir en empresas supranacionales cuando se produce la total liberalización de toda .... nacional.*
   g) *En este caso, los propios Gobiernos pueden ser los fundadores o.......... de la empresa.*

2) Localice en el artículo que encontrará a continuación ideas afines a las siguientes:

   a) *Estados Unidos se llevó la mejor parte.*
   b) *Las inversiones europeas en América Latina comenzaron a desarrollarse hace diez años.*
   c) *El problema de conseguir materias primas y tecnología podría tener una vía de solución mediante la colaboración entre Europa continental y América Latina.*

d) *La inversión extranjera se caracteriza por estar concentrada en sectores y geográficamente, además de una dimensión diferente entre ....*
e) *Antes de los años cincuenta se invertía, principalmente, en el sector público.*
f) *Las inversiones extranjeras eligen preferentemente cuatro países.*
g) *Recientemente, algunos países asiáticos han adoptado el modelo basado en las industrias de exportación.*
h) *La región tendrá que adoptar otras estrategias en la década de los ochenta.*

Multinacionales europeas en América Latina

Tecnología por materias primas

Entre 1967 y 1970, Estados Unidos se llevó la parte del león de las inversiones extranjeras en América Latina: 61 por 100 del valor contable del total de inversiones extranjeras y el 63,5 por 100 del número de filiales. Por su parte, Europa abarcó prácticamente el resto, con el 29,6 por 100 del capital y el 29,2 por 100 de las filiales.

Contrariamente a los americanos y británicos instalados con anterioridad, las inversiones de Europa Continental se desarrollaron, sobre todo en el curso de los últimos diez años, principalmente de Alemania, Suiza, Países Bajos y Suecia. Del total de inversiones extranjeras en Brasil, el porcentaje de las europeas pasó del 31 por 100 en 1973 al 43 por 100 en 1976, mientras que el de los Estados Unidos disminuyó del 48 al 32 por 100.

Según un estudio del profesor Bernard Lietaer, realizado a petición del Centro Europeo de Estudio e Información sobre las Sociedades Multinacionales, el autor defiende la tesis de que una mayor colaboración entre el continente europeo y el latinoamericano sería no sólo provechosa para ambas partes, sino que, a lo largo de los 80, permitiría resolver, a unos los problemas de abastecimiento de materias primas y a otros los de la tecnología necesaria para su industrialización. En el momento en que la política de la CEE pretende estimular la inversión en el sector primario, en especial con vistas a garantizar al continente el abastecimiento de materias primas, esta tesis es una aportación interesante al debate.

En la actualidad, Europa Continental se ha convertido en la primera fuente de nuevas inversiones en el continente latinoamericano, e incluso ha superado a los Estados Unidos, sobre todo en Brasil, Argentina y Chile.

A pesar de la importancia de esas invasiones, globalmente los extranjeros han controlado tradicionalmente menos del 10 por 100 de todas las inversiones en América Latina, lo que representa el porcentaje más bajo de todas las áreas en vías de desarrollo.

Así, pues, la importancia de dichas inversiones extranjeras reside menos en su cantidad que en ciertas de sus características:

- Concentración sectorial.
- Concentración geográfica.
- Diferencia de dimensión entre filiales de multinacionales y competidores locales.

Concentración sectorial y geográfica

Antes de la Segunda Guerra Mundial, la mayoría de las inversiones iban al sector público: transporte, teléfono, electricidad, etc. En los años 50, hubo una disminución de dicha tendencia. En el sector primario, únicamente la industria del petróleo experimentó un rápido crecimiento, mientras que el conjunto del sector manufacturero conoció una verdadera explosión. Las inversiones americanas aumentaron en un 21,5 por 100 en los años 50, y en 64,8 por 100 entre 1960 y 1967, mientras que las inversiones europeas, por su parte, se concentraron.

Estas tendencias se pueden ver en varios sectores: el 67 por 100 de los intereses de la industria química en México y Perú están en manos de firmas extranjeras, al igual que la totalidad de la industria automovilística brasileña y el 82 por 100 de la producción de bienes de equipo mecánicos en Argentina.

En el plano geográfico, cuatro países absorben más del 80 por 100 de las inversiones extranjeras en el sector manufacturero: Brasil, México, Argentina y Venezuela.

Un último e importante aspecto de la participación de las multinacionales en la economía de los países latinoamericanos es su dimensión diferente con respecto a los competidores nacionales. En su mayoría, las multinacionales que operan en este continente son de gran talla, con lo que su impacto es más sensible.

Esta influencia extranjera es aún más acentuada por el hecho que allí en donde se produce una participación local al capital, los accionistas son a menudo numerosos y dispersos. En Chile, los extranjeros sólo representan el 1 por 100 de los accionistas, mientras que constituyen el 20 por 100 de la inversión industrial en el país.

Esta concentración regional, sectorial y de control explica en parte la acentuada sensibilización de los latinoamericanos al conjunto de los problemas relacionados con la participación extranjera.

Una «Convención de Lomé» con América Latina

En América Latina, las empresas europeas deberán superar, con inversiones aún no amortizadas, el período de transición particularmente difícil de los años 80. La región pasará del sistema de sustitución de las importaciones —es decir, la industrialización sistemática que sustituye a la importación con la ayuda de barreras arancelarias protectoras— a otras estrategias. Dos posibilidades se vislumbran: una política de integración regional de cara a aumentar los mercados y lograr una especialización, y complementariedad, entre países, o bien el modelo basado en las industrias de exportación adoptado estos últimos años por los nuevos países industriales del Sureste de Asia.

Export-Import, núm. 5, abril-mayo 1980.

Sopa de letras

En este cuadro podrá encontrar diez términos que han aparecido a lo largo de este capítulo. Se pueden leer horizontal y verticalmente, en todas las direcciones.

F	I	N	A	N	C	I	A	C	I	O	N	R	Ñ	O	P
Z	W	I	Z	Ñ	I	N	I	C	I	A	T	I	V	A	Q
D	J	J	E	P	Q	S	T	M	K	L	Z	V	U	L	L
I	L	M	Ñ	M	L	Z	W	Ñ	K	P	T	S	E	A	Z
S	O	P	P	Z	P	K	L	M	U	P	Z	K	N	J	K
T	S	T	P	K	C	R	E	D	I	T	O	O	Z	K	K
R	Q	J	L	A	J	I	E	U	Ñ	M	I	N	P	B	B
I	A	C	A	Z	O	E	N	S	P	C	C	C	L	L	O
B	L	U	C	I	O	S	A	B	A	N	D	I	U	L	M
U	F	M	D	O	R	G	I	N	P	E	P	E	I	E	O
C	O	O	T	A	Y	O	I	L	O	P	O	N	O	M	M
I	N	O	I	C	A	T	R	O	P	M	I	K	I	R	O
O	S	O	P	O	L	I	Z	T	A	O	N	I	O	C	Z
N	O	O	O	U	T	B	I	N	V	E	R	S	I	O	N
Y	U	L	M	N	O	I	D	A	S	I	N	E	S	H	P
I	A	Y	A	M	A	E	P	E	L	O	N	A	N	G	O

VI. El sistema financiero

1. El sistema bancario español

Sistema bancario: conjunto de bancos.

En España, la autoridad financiera la ostenta el Gobierno de la nación. A partir de 1977, con la creación del Ministerio de Economía, las directrices del Gobierno vienen dadas por éste, tal y como se establece en el artículo 10 del Real Decreto 1558/77, de 4 de julio, donde se dice que: «El Ministerio de Economía asumirá las competencias actuales del Ministerio de Hacienda en materia de política financiera, Banco de España e Instituto de Crédito Oficial.»

En el ejercicio de la autoridad financiera, el Ministerio cuenta con una serie de instituciones u órganos que pueden clasificarse en ejecutivos y consultivos.

a) Organos ejecutivos: como consecuencia de la ley de Bases de 1962, las autoridades técnicas quedaban constituidas por el Banco de España, el Instituto de Crédito Oficial y el Instituto de Crédito de las Cajas de Ahorro.

Independientemente de los estamentos propios del Ministerio con capacidad ejecutiva, a partir de 1971, la autoridad financiera, en sentido técnico, quedó reducida a dos instituciones: el Banco de España y el Instituto de Crédito Oficial.

— El Banco de España.

Los antecedentes para los bancos públicos en España se remontan al establecimiento de las dos primeras instituciones, con este carácter, en Europa. Así, en 1401 aparece la Taula de Cambi en Barcelona, y seis años más tarde la Taula de Valencia. Ambas sirvieron en sus respectivos ámbitos territoriales durante más de 300 años. Con posterioridad se hicieron diversos intentos de creación de una banca nacional a lo largo de los siglos XVI y XVII, siendo en 1782 cuando se crea el Banco Nacional de San Carlos. Tras el fracaso de éste se crea el Banco Nacional de San Fernando, en 1829, que, fusionado con el Banco de Isabel II, fundado en 1847, desembocó en 1856 en el Banco de España.

Se le concede el privilegio de emisión en 1874, absorbiendo once de los quince *bancos* que por entonces emitían moneda.

Banco: establecimiento que realiza negocios con dinero procedente de accionistas y de clientes, que lo depositan con este objeto.

A lo largo de la historia, y hasta comienzos de la guerra civil de 1936, el Banco de España no adquiere la conciencia de las responsabilidades de un banco central, siendo a partir de 1939 cuando comienza la intervención del Estado y se limitan las operaciones que venía realizando, más propias de los bancos comerciales. En 1946 se acentúa la dependencia del Ministerio de Hacienda y se retira el carácter decisorio de la representación del capital privado; esta medida encaminaba al Banco de España hacia la nacionalización.

El Decreto-Ley de 7 de junio de 1962 nacionaliza el Banco de España, continuándose a lo largo de ese año las nacionalizaciones de las instituciones denominadas Entidades Oficiales de Crédito (excepto el Banco Exterior de España).

— El Instituto de Crédito Oficial.

El Instituto de Crédito Oficial (ICO) se crea por Ley 13/1971, sustituyendo al Instituto de Crédito de Medio y Largo Plazo, que a su vez sucedió al Comité de Crédito a Medio y Largo Plazo.

El ICO es una entidad de derecho público, con personalidad y patrimonio propios, que actúa con plena capacidad para el cumplimiento de sus fines bajo la directa dependencia del Ministerio de Economía.

Las funciones, en cuanto a las Entidades Oficiales de Crédito, quedan reflejadas en el artículo 11 de esa ley y son: servir de órgano permanente de relación de las diversas entidades con el Ministerio; coordinarlas, inspeccionarlas y controlarlas; proveerlas de los recursos necesarios para un mejor cumplimiento de sus fines; transmitir las instrucciones a las que hayan de acomodar sus actividades.

b) Los órganos consultivos son:

- El Consejo Superior Bancario.
- La Junta Consultiva de Crédito Oficial.
- La Confederación Española de Cajas de Ahorros.
- El Consejo Superior de Bolsas.

— El Consejo Superior Bancario (CSB) fue creado por la ley de Ordenación Bancaria de 1921, para articular la actuación de la *Banca* conforme a las directrices del Gobierno mediante el establecimiento de normas, que deberían ser observadas con carácter obligatorio, y establecer una conciencia corporativa, inexistente en aquellos momentos.

En marzo de 1938 se suprimió el Consejo, transfiriendo sus competencias al Ministerio de Hacienda, pero la ley de Ordenación Bancaria de 1946 restableció el Consejo Superior Bancario. Entre sus funciones, de carácter resolutivo, destacan:

Banca: conjunto de los bancos y banqueros y sus actividades. Casa de Banca: establecimiento bancario.

SUSCRIBA BONOS ICO DESDE 10.000 PESETAS EN EL ICO, BANCOS OFICIALES, BANCOS, CAJA POSTAL, CAJAS E INTERMEDIARIOS FINANCIEROS.

INSTITUTO DE CREDITO OFICIAL

CARACTERISTICAS DE LA EMISION

LIQUIDEZ: TITULOS DE COTIZACION CALIFICADA EN BOLSA.	INTERES: 12,75%
PLAZO DE SUSCRIPCION: DEL 15 DE ABRIL AL 14 DE MAYO AMBOS INCLUSIVE.	DESGRAVACION: 15% SEGUN LAS CONDICIONES Y LIMITES QUE MARCA LA LEY.
NOMINAL DEL TITULO: 10.000 PESETAS.	AMORTIZACION: 4 ó 6 AÑOS, A ELECCION DEL SUSCRIPTOR. EL EMISOR PODRA AMORTIZAR AL 5.º AÑO.
PRECIO DE LA EMISION: A LA PAR, LIBRE DE GASTOS PARA EL SUSCRIPTOR.	RENTABILIDAD: 17,86% AL 4.º AÑO –CON DESGRAVACION–.
SUSCRIPCION: INSTITUTO DE CREDITO OFICIAL, BANCOS OFICIALES, BANCOS, CAJA POSTAL, CAJAS E INTERMEDIARIOS FINANCIEROS.	PAGO DE INTERESES: SEMESTRAL (EL 14 DE MAYO Y 14 DE NOVIEMBRE DE CADA AÑO).

a) Imponer a los bancos y banqueros privados, incluso a los extranjeros establecidos en España, su adscripción al mismo, obligándoles al envío de los balances y cuentas de resultados periódicamente.
b) Formular las estadísticas bancarias.
c) Interpretar las normas dictadas por el Gobierno sobre tarifas bancarias.
d) Designar los consejeros del Banco de España.
e) Ser enlace entre las autoridades financieras y los bancos.
f) Elevar a los Ministerios correspondientes las peticiones, informes o mociones de la Banca privada relativos a las cuestiones generales.
g) Recoger los usos y costumbres mercantiles de tipo bancario.

Por otra parte, el CSB tiene otras funciones de carácter informativo o consultivo.

— Junta Consultiva de Crédito Oficial. Fue creada por la Ley 13/1971, de 19 de junio, y tiene como función la de asesorar a la autoridad financiera.

— Confederación Española de Cajas de Ahorros. La Confederación es el organismo que agrupa a las Cajas de Ahorros existentes en el país, excluida la Caja Postal de Ahorros.
La Confederación tiene como norma básica la total independencia de las entidades que la integran, teniendo por objeto facilitar y promocionar la actuación de las Cajas de Ahorros.

— Consejo Superior de Bolsas. Fue creado en 1964 como órgano de representación de las Bolsas de Valores y como entidad de coordinación y consultiva de la entidad financiera. Sus funciones son:

a) Representar a las Bolsas de Comercio.
b) Preparar criterios de admisión, permanencia y exclusión de valores en las Bolsas.
c) Informar los recursos de alzada contra los acuerdos de las juntas sindicales en cuanto a la admisión o exclusión de valores.
d) Proponer los días y horas para las sesiones bursátiles.
e) Proponer los *aranceles* de los colegios y mediadores.
f) Proponer el formato de los libros-registro de los agentes y corredores de Bolsa.
g) Coordinar las acciones de los agentes y corredores de Bolsa en el ámbito de su competencia.

Arancel: tarifa oficial para la percepción de ciertos derechos, impuestos, etc.

Ejercicios

1) Diseñe un cuadro sinóptico en el que se vea claramente la estructuración del sistema financiero, sus instituciones y funciones de las mismas.

2) Ejercicio de asimilación:

Complete estas frases de acuerdo con el texto que acaba de leer:

a) *Las directrices del Gobierno en política financiera a partir de 1977* ....
b) *La fusión del Banco de San Fernando con el de Isabel II dio lugar a* ....

c) *A partir de 1939 comienza la intervención del* ....
d) *Entre las funciones del Banco de España están* ....
e) *Mientras que las funciones del ICO son* ....
f) *Al CSB corresponden las funciones de carácter resolutivo* ....
g) *Y las de carácter informativo o consultivo* ....
h) *La norma básica de la Confederación de las Cajas de Ahorros es* ....
i) *Al Consejo Superior de Bolsas, además de representar y coordinar las bolsas de valores, corresponde proponer* .... *informar* .... *y preparar* ....

ENTIDADES OFICIALES DE CREDITO

Banco Hipotecario de España
Banco de Crédito Industrial
Banco de Crédito Local
Crédito Social Pesquero
Banco de Crédito a la Construcción
Banco de Crédito Agrícola

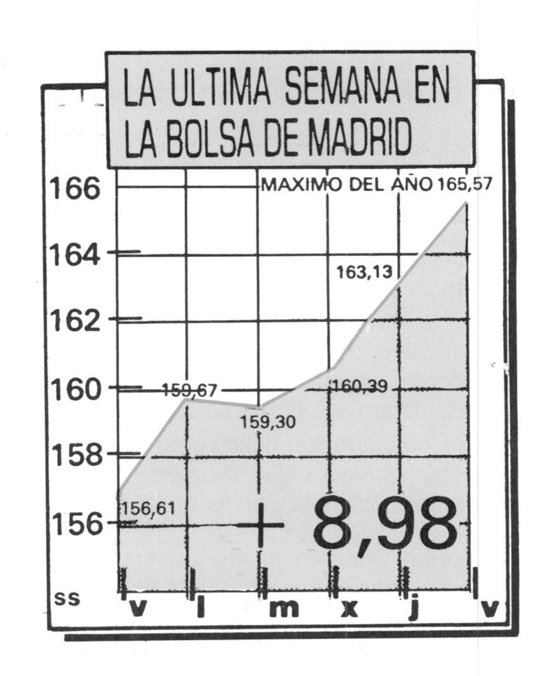

ABC, 20 de abril 1986.

2. La Bolsa de Comercio

Si alguien posee más dinero del que precisa para sus necesidades, puede guardarlo en una hucha o depositarlo en una caja fuerte, con lo cual ese dinero no es de utilidad para nadie. También se puede tener en un banco, comprar bienes, crear una empresa o comprar títulos, que son unos documentos que tienen un valor y muchas ventajas. A esto se llama invertir.

La persona que decide invertir su dinero ahorrando recibe un documento, el título o valor, que representa el compromiso que adquiere el empresario o el Estado de devolver ese dinero prestado.

La Bolsa es el lugar en el que las empresas y el Estado se relacionan con las personas interesadas en comprar los títulos directamente. Una vez que las empresas o el Estado han recibido el dinero y han otorgado a cambio los títulos, se dice que éstos han sido colocados. Los títulos son como una mercancía que se compra y se vende.

El mercado de títulos, una vez que han sido colocados, se llama *mercado secundario.*

Mercado secundario: es el mercado de títulos, después de haber sido colocados éstos.

Hubo un tiempo en el que todos los que estaban interesados en comprar o vender títulos se reunían en un sitio fijo, como un café o una plaza. Poco a poco fue surgiendo la necesidad de organizar el mercado de títulos, con unas reglas y unos intermediarios oficiales especializados que garantizasen y diesen seguridad a los intercambios. Este mercado organizado de títulos es la Bolsa de Comercio, en el que todas las operaciones se canalizan a través de los agentes o miembros oficiales.

En España hay cuatro mercados de este tipo: en Madrid (es el más importante, y realiza prácticamente el 70 % de las compras y las ventas de todo el mercado nacional), Barcelona, Bilbao y Valencia.

Las transacciones se llevan a cabo en un lugar fijo, llamado *parquet,* y a una hora determinada. El tiempo durante el cual se cruzan las operaciones de compra y venta se llama sesión y solamente pueden actuar como intermediarios los *agentes de Cambio y Bolsa.* Estos agentes se responsabilizan de las operaciones ante los clientes, y tienen un código de honor muy estricto.

Agente de Cambio y Bolsa: En España, es el mediador de comercio que, con carácter de fedatario público, interviene privadamente en los negocios y transferencias de efectos y valores públicos y de los títulos y valores privados que se transmiten en la Bolsa Oficial de Comercio o en la plaza donde ésta radique.

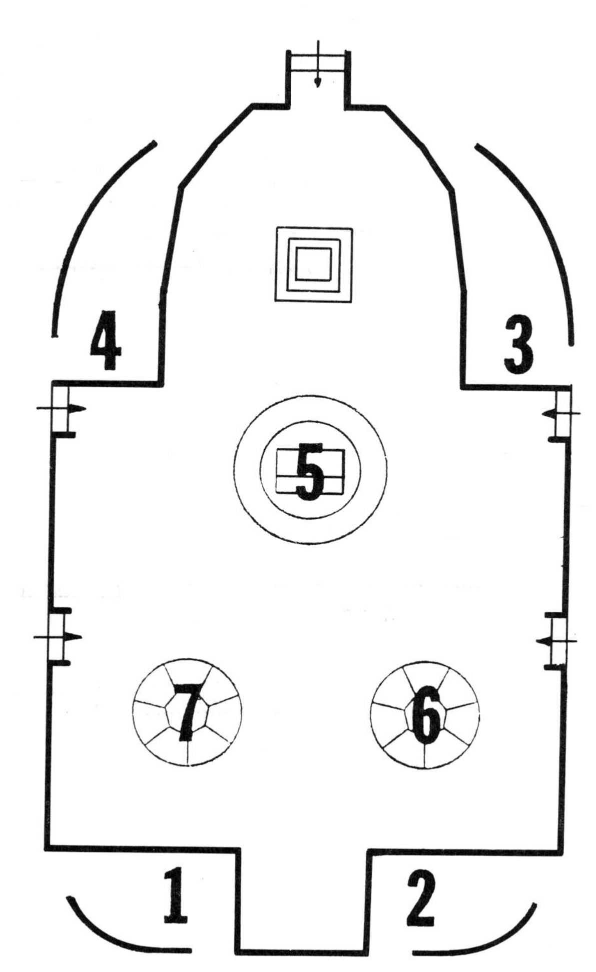

PARQUET DE LA BOLSA DE MADRID.—Situación de los corros.

Horario y situación de los corros de contratación de valores y efectos

CORROS	HORARIO	VALORES Y EFECTOS
4 3 1	10,00 a 10,10	Cédulas (Hipotecario, Crédito Local, Reconstrucción Nacional, Renfe, Colonización y Vivienda) y títulos hipotecarios acogidos L. 2/81 y RD 685/82. Obligaciones eléctricas. Monopolios, transportes, navales, automóviles y sociedades relacionadas con éstos.
3 2	10,10 a 10,20	Primer corro eléctrico: Hidro-Española, Sevillana, Cantábrico, Viesgo y Nansa. Bonos bancarios y obligaciones varias (menos eléctricas).
5 1 4	10,20 a 10,30	Inmobiliarias, urbanizadoras y constructoras. Cementos, comercio, cinematografía y espectáculos. Segundo corro eléctrico: Iberduero y Eléctricas Reunidas de Zaragoza.
1 2 4	10,30 a 10,40	Tercer corro eléctrico: Unión Eléctrica-Fenosa, Fecsa, H. Cataluña, y resto sociedades eléctricas. Textiles, papeleras, alimentación, agricultura, e industrias derivadas. Valores en régimen de contrapartida.
3	10,40 a 10,45	Mineras: Duro-Felguera, Los Guindos, Ponferrada, etc. Seguros.
2 1 5	10,45 a 10,55	Siderometalúrgicas, construcciones metálicas y radio. Industrias químicas. Operaciones con pacto de recompra en pagarés del Tesoro y de empresas.
5 4	10,55 a 11,00	Teléfonos. Valores no admitidos a cotización oficial.
2 5	11,00 a 11,05	FONDOS PUBLICOS (emisiones anteriores al año 80). Bancos comerciales (1.er Corro).
2	11,05 a 11,15	FONDOS PUBLICOS (emisiones posteriores al año 79).
5	11,05 a 11,10	Bancos comerciales (2.º Corro).
5 5	11,10 a 11,15	Bancos industriales. Sociedades de cartera.
5	11,20 a 12,25	Mercado de pagarés del Tesoro a vencimiento.
5	11,25 a 11,45 (martes y jueves)	Mercado de letras. (primera subasta).
5	11,25 a 11,30 (miércoles y viernes)	Mercado de pagarés de empresas a vencimiento.
5	12,25 a 12,45 (martes y jueves)	Mercado de letras. (segunda subasta).

TERMINOS BURSATILES

Acción: cada una de las partes en las que se divide el capital de una sociedad anónima. El propietario de las acciones, el accionista, adquiere la calidad de socio, y por lo tanto tiene derecho, proporcionalmente a su aportación, a participar en los beneficios.
Amortización o Vencimiento: momento en el que una sociedad prestataria devuelve el capital recibido.
Ampliación de capital: cuando una sociedad procede al aumento de su capital social, emitiendo nuevas acciones.
Cartera de valores: conjunto de títulos o valores que componen la inversión de una persona.
Cierre: es el último cambio registrado por un valor en los últimos momentos de un corro o sesión.
Corro: lugar donde se realiza la negociación de valores, en el salón de contratación de la Bolsa.
Cotización o Cambio: es el precio de los valores mobiliarios en la Bolsa.
Cupón: es un cajetín que sirve para justificar un derecho. Va unido al título.
Dividendo: retribución que percibe un accionista, de acuerdo con los resultados de la empresa.
Efecto público: es la parte alícuota de un préstamo al Estado.
Emisión: creación de un título.
Entero: unidad de variación en la cotización.
Obligación: es la parte alícuota de un préstamo a una sociedad.
Pagaré: efecto de comercio negociado en la Bolsa.
Plusvalía: beneficio obtenido en una operación de compra-venta.
Rentabilidad: la remuneración del capital obtenido.
Suscripción: adquisición de títulos de una emisión.
Valor efectivo: precio que se paga efectivamente por un título.
Valor nominal: importe que figura impreso en un documento de título.

Ejercicios

1) Rellene los espacios en blanco del siguiente ejercicio:

   a) *Cuando una persona, después de cubrir sus ...., desea invertir su dinero, puede dirigirse a la .... con el fin de comprar ....*
   b) *Las operaciones se deben realizar a través de un ...., que es la persona capacitada para servir de ....*
   c) *Cuando las empresas precisan .... para comprar maquinaria, pagar a sus empleados o adquirir los materiales que .... para fabricar sus productos, piden .... a los bancos o toman el dinero de otras personas. A cambio, entregan un .... llamado título o valor.*
   d) *Este es el .... de devolución de dicho dinero.*
   e) *Una vez que se han vendido los títulos de una .... o del Estado, se dice que se .... Si se vuelve a operar con esos títulos se llama mercado ....*
   f) *Las sesiones a lo largo de las cuales tienen lugar las .... se llevan a cabo en una sala que se llama ....*
   g) *Entre los requisitos que debe cumplir un agente de Bolsa se encuentran el de .... unas pruebas para demostrar sus conocimientos de las .... del mercado y depositar una cantidad como ....*

2) Tras asistir a una sesión en la Bolsa de Comercio, escriba un resumen-informe sobre la misma.

3. Instituciones financieras de la CEE

Las instituciones financieras de la Comunidad Económica Europea son las siguientes:

Presupuesto: cálculo anticipado de los gastos o del coste, por ejemplo, de una obra o una operación; particularmente, de los previstos por el Estado para cierto tiempo.

La FEOGA (Fondo Europeo de Orientación y Garantía Agrícola) es un mecanismo de intervención destinado a financiar determinadas operaciones —de reformas estructurales y de precios— en el marco de la Política Agrícola Común (PAC); la PAC absorbe por sí sola más de dos tercios del *presupuesto* comunitario.

El FEDER (Fondo Europeo de Desarrollo Regional) fue creado por decisión del Consejo mucho tiempo después del tratado de Roma, en 1975, y está destinado a corregir los desequilibrios regionales existentes en la Comunidad.

El FSE (Fondo Social Europeo) está encargado de financiar la política social de la Comunidad, muy centrada últimamente en el problema del paro.

El FED (Fondo Europeo de Desarrollo).

El BEI (Banco Europeo de Inversiones) tiene como objetivo contribuir al desarrollo equilibrado y sin tropiezos del Mercado Común en beneficio de la Comunidad.

Ejercicios

1) Busque sinónimos de las siguientes palabras, según el significado que tengan en el texto:
   a) *objetivo*
   b) *creado*
   c) *tropiezos*
   d) *corregir*
   e) *decisivo*

2) Encuentre palabras que tengan la misma raíz que:
   a) *decisión*
   b) *financiar*
   c) *social*
   d) *centrada*
   e) *operaciones*

3) Responda las siguientes preguntas:
   a) *¿qué significa la sigla FED?*
   b) *¿qué objetivo tiene el BEI?*
   c) *¿cuál es la función del FEOGA?*

4) Prepare un pequeño estudio sobre los comienzos de la Comunidad Económica Europea.

4. Operaciones bancarias

A) Apertura de una **cuenta bancaria:** Se trata de una operación mediante la cual el banquero entra en relación con su cliente, y consiste en depositar, por parte del cliente, una cantidad de dinero, es decir, que realiza una **imposición** o ingreso. El cliente suscribe un **impreso** en el que consigna sus datos personales, aceptando las condiciones impuestas por el banco de acuerdo con sus **estatutos** o reglamentos.

B) Movimientos y disposición de una cuenta bancaria: Las cuentas bancarias tienen dos columnas para realizar anotaciones: la del **Debe** y la del **Haber.**

En la primera se anotan las retiradas de fondos por parte del cliente, los pagos de los **cheques** o **transferencias** por él emitidos, las letras que el cliente domicilie en dicha cuenta y la compra de títulos.

En la columna del Haber se señalan las imposiciones del titular, las imposiciones de terceros, las transferencias a su favor, las remesas de letras de cambio, el producto de las ventas de títulos y los ingresos de cupones.

C) Tipos de cuentas bancarias: Pueden ser de varias clases: cuenta corriente a la vista, cuenta de ahorro y cuenta de imposición a plazo. Además del distinto *tipo de interés* que devengan, a continuación señalamos otras diferencias existentes.

Tipo de interés: clase, modalidad, grado, categoría de la cantidad producida por un capital. Renta que produce un capital.

BANCO EXTERIOR DE ESPAÑA

OFICINA | FECHA

REINTEGRO DE CUENTA DE AHORRO

NUMERO DE LIBRETA	PESETAS	NUM. DOCUMENTO
		36296

PESETAS EN LETRA

TITULAR/ES

Mod. 2.408

Recibi/mos

DATOS A CUMPLIMENTAR POR EL BANCO

Control de firmas		Páguese El jefe del Servicio
Sello o máquina de Caja		

Justificante de Caja

BANCO EXTERIOR DE ESPAÑA

FACTURA DE ENTREGA DE TALONES Y CHEQUES SOBRE OTRAS PLAZAS

Sucursal ....

Este impreso no precisa calco. Rellénelo con BOLIGRAFO apoyado en superficie dura, expresando claramente nombre y dos apellidos o razón social completa del beneficiario

Muy señores nuestros:

Adjunto a la presente se remiten los talones y cheques reseñados, para su abono salvo buen fin en la cuenta abajo indicada, de conformidad con las condiciones reseñadas al dorso.

(firma)

TALONES/CHEQUES SOBRE OTRAS PLAZAS

T/CH n.º		cargo		PESETAS	CTS.
» »		»			
» »		»			
» »		»			
» »		»			
» »		»			
» »		»			
» »		»			
» »		»			
» »		»			
» »		»			
			TOTAL NOMINAL		

Modelo 2 438 (TR 102)

BANCO EXTERIOR DE ESPAÑA

N.º 28333

RESGUARDO DE ENTREGA DE TALONES Y CHEQUES SOBRE OTRAS PLAZAS PARA ABONAR EN CTA. N.º

código

a nombre de ....

(Título completo de la cuenta que se abona)

la cantidad abajo indicada, importe de los talones/cheques depositados hoy por

D. ....

(El mismo beneficiario o tercera persona, en su caso)

(Validación mecánica)

Este resguardo no será válido si tiene enmiendas, raspaduras o carece del registro mecánico que lo autentica. El importe de los talones depositados se abonará salvo buen fin MEDIANTE AVISO

1/5

Mod. 2 438 ENTREGA DE TALONES Y CHEQUES SOBRE OTRAS PLAZAS

BANCO DE MADRID — ENTREGA DE EFECTIVO

Grupo BANCO ESPAÑOL DE CREDITO

El Banco de Madrid abona en cuenta

a: ....

SELLO DEL BANCO

.... (Domicilio)

.... (Plaza) N.° Cl. ....

la cantidad figurada al pie que ha entregado, en esta fecha, bajo la correspondiente factura.

BANCO DE MADRID, S. A. Reg. Mer. Madrid, hoja 2939, folio 169, tomo 905

PARA EVITAR ERRORES SIRVASE CONSIGNAR CLARAMENTE EL NOMBRE, DOS APELLIDOS O RAZON SOCIAL COMPLETA Y SI LE ES POSIBLE EL N.° Cl. QUE FIGURA EN SU TALONARIO DE CHEQUES.

	PESETAS	CTS.
Billetes		
Metálico		
TOTAL		

SON PESETAS ....

FIRMA DEL QUE HACE LA ENTREGA,

Certificación de la máquina

ESTE RESGUARDO NO SERA VALIDO SI TIENE ENMIENDAS, RASPADURAS, O CARECE DE LA IMPRESION DE LA MAQUINA DE VENTANILLA QUE LO AUTENTIQUE

110-B 3-1
1.200.000 - 1/84

ROGAMOS QUE AL RELLENAR ESTE IMPRESO LO HAGA SOBRE SUPERFICIE DURA UTILIZANDO BOLIGRAFO

a) **Cuenta corriente a la vista:** es un contrato por el cual el banquero recibe fondos procedentes de un cliente, de los que el banco podrá disponer, los cuales pueden aumentar y disminuir según las operaciones realizadas, bien en efectivo o mediante cargos o abonos. Esta cuenta devenga un interés mínimo. El banco o caja de ahorros suele enviar mensualmente un extracto de la cuenta al cliente, con anotaciones de las partidas del saldo. El titular de la cuenta puede cancelarla en cualquier momento.

b) **Libreta de ahorro:** se trata de una cuenta de ahorro familiar o individual. El banco abona un interés superior al de la cuenta corriente.

Las anotaciones correspondientes a este tipo de cuentas se llevan en los libros del banco y en una libreta que se entrega al cliente y que constituye un título nominativo intransferible.

c) **Cuenta de imposición a plazo:** tiene una fecha de vencimiento, antes de la cual no se puede disponer de su importe. Los intereses devengados (percibidos) son acumulados al capital, para producir nuevos intereses. La retirada del capital en el momento de su vencimiento puede ser total o parcial. También puede pignorarse (hipotecarse) la imposición en garantía de una cuenta de crédito, por un importe igual a su saldo y con plazo de vigencia hasta su vencimiento.

Emisión: acto de crear y poner en circulación, especialmente, dinero o deuda.

Otros servicios prestados por los bancos: suscripción y *emisión* de valores, operaciones en Bolsa, servicio de depósito y administración de títulos y alquiler de cajas de seguridad.

Ejercicios

1) Ejercicio práctico:

   a) *Si hubiese heredado una cantidad de dinero importante que de momento no precisa, ¿qué tipo de cuenta le interesaría abrir?*
   b) *¿Existe algún medio para que el cliente sepa, en todo momento, el saldo de su cuenta?*
   c) *Si usted realiza muchas operaciones a través de cuenta bancaria, ¿qué tipo de cuenta le interesa?*
   d) *¿Qué quiere decir que una cuenta bancaria devenga intereses?*
   e) *¿Quién es el titular de una cuenta?*
   f) *En una cuenta de imposición a plazo, ¿cuándo puede disponer de su dinero?*
   g) *¿A través de qué tipo de cuenta puede usted realizar o recibir transferencias?*
   h) *En realidad, ¿qué es una cuenta bancaria?*
   i) *¿Qué anotaciones se hacen en la columna del Haber?*
   j) *¿Y en la del Debe?*

2) Ejercicio oral:

   Un alumno desea abrir una cuenta corriente en un banco, para lo cual mantiene una conversación con otro alumno, que hará el papel del empleado del banco. A continuación, un tercer alumno solicita hablar con el director del banco para pedirle información o consejo acerca de la libreta o cuenta que le interesa abrir, tras haber ganado a las quinielas varios millones de pesetas.

   Otro alumno más desea una aclaración, porque cree que el banco ha cometido un error en una anotación de su cuenta corriente, haciéndole un cargo que no correspondía, por lo que el que desempeña el papel de empleado de dicho banco le da las explicaciones pertinentes.

3) Correspondencia con su banco:

   a) *Escriba a su banco una carta pidiendo que le domicilien el pago de los recibos de teléfono, luz, sociedades, etc.*
   b) *Escriba una carta a su banco para que dejen de pagar unos recibos domiciliados en su cuenta.*
   c) *Escriba a su banco rogando que cancelen su cuenta.*
   d) *Escriba a su banco solicitando que acudan a su cuenta de ahorro, en caso de no tener dinero suficiente en su cuenta corriente, para atender el pago de un recibo o una letra.*

DELEGACION DE HACIENDA

VII. Los tributos

1. Tributación

En primer lugar, tenemos que establecer tres niveles de Hacienda, correspondientes a otros tres niveles de gobierno:

— Estatal (nacional).
— Regional o federal (Estado o Comunidades Autónomas).
— Municipal o local (corporaciones locales).

Para hacer frente al gasto público, el Estado dispone de unos ingresos públicos, que pueden ser o bien los patrimoniales o los que recauda mediante los *tributos*.

Tributo: entrega por parte del súbdito al Estado de cierta cantidad de dinero o especie.

Según el diccionario de la Real Academia Española, tributar es «entregar el súbdito al Estado, para las cargas y atenciones públicas, cierta cantidad en dinero o en especie».

Los tributos pueden quedar clasificados en tres tipos:

— *impuestos;*
— *tasas;*
— *contribuciones especiales.*

Impuesto: tributo obligatorio y sin contrapartida directa que se abona al Estado o a los organismos locales para sufragar los gastos públicos.

Contraprestación: recibir algo a cambio de una prestación: acción de realizar un servicio.

Los *impuestos* son los tributos más importantes. Poseen dos características, que son la obligatoriedad y la ausencia de *contraprestación*.

Las *tasas* son los tributos que hay que pagar por la utilización de un bien público o por la prestación de un servicio asimismo público. Por lo tanto, hay una contraprestación. Además, la cuantía depende de la utilidad o prestación recibida.

Las *contribuciones especiales* se exigen cuando el sector público lleva a cabo una actividad en beneficio de una colectividad, pero de la cual se beneficia un individuo más que otro (por ejemplo, si se construye una carretera, el dueño de los terrenos cercanos es el que más se beneficia y, por consiguiente, su contribución es mayor).

Contribución: pago que, por distintos conceptos establecidos, están obligados a hacer los ciudadanos para ayudar a sostener los gastos del Estado, municipio, etc.

Un sistema *fiscal* moderno debe comprender dos tipos de figuras impositivas:

Fiscal: adjetivo de fiscalidad: conjunto de leyes, reglamentos y procedimientos relativos a los impuestos.

— Impuestos esenciales, que se distinguen en:

- impuestos básicos: sobre la renta personal, las rentas de las sociedades y el volumen de operaciones de las mismas (impuesto sobre las ventas);
- impuestos de control o complementarios: sobre el patrimonio y sobre las herencias y donaciones.

— Impuestos secundarios: son aquellos que persiguen una mejor asignación de recursos y/o una mejor ordenación de la actividad económica.

Además, los impuestos se pueden clasificar en:

Gravar: imponer una carga o contribución, o cualquier clase de pago.

Impuestos directos: son aquellos que *gravan* la riqueza o la renta en sí mismas, de una manera inmediata y personal.

Impuestos indirectos: son los que gravan un hecho. Estos, a su vez, los podemos clasificar en:

- impuestos sobre consumos específicos (tráfico interior y tráfico exterior);
- impuestos generales sobre ventas:
  - — monofásico (fabricante, mayorista, minorista).
  - — multifásico (impuesto sobre el valor total de las ventas en cada fase, «en cascada»).
  - — plurifásico (**Impuesto sobre el Valor Añadido** en cada fase).

Contribuyente: persona que paga la contribución.

Impuestos objetivos: gravan sobre un hecho sin tener en cuenta las circunstancias personales del *contribuyente* (el impuesto sobre las ventas).

Impuestos subjetivos: tienen en cuenta la situación personal del individuo (deducción por número de hijos, matrimonio, etc., en el impuesto sobre la renta).

Impuestos instantáneos: se devengan sólo cuando se produce un hecho imponible (impuesto sobre sucesiones, cuando fallece una persona).

Impuestos periódicos: los establecidos con regularidad, por lo general un año (el impuesto sobre la renta).

Impuestos reales: recaen sobre un objeto, ya que gravan las manifestaciones externas de riqueza (sobre el rendimiento de la tierra, los impuestos de producto).

Impuestos personales: recaen sobre la persona física o jurídica gravando su capacidad económica, teniendo en cuenta las circunstancias en que se encuentra dicha persona (impuesto sobre **patrimonio**).

Ejercicios

1) Conteste las siguientes preguntas:

   a) *¿Por qué establecemos tres niveles de Hacienda?*
   b) *¿Cómo recibe dinero el Estado?*
   c) *¿Con qué finalidad entrega el ciudadano una cantidad de dinero al Estado?*
   d) *¿Qué tributo se paga sólo por una contraprestación?*
   e) *¿Cómo clasificaría los siguientes impuestos?*

      - *por herencia;*
      - *por consumo de tabaco;*
      - *sobre las ventas.*

2) Las siguientes palabras tienen un significado distinto dependiendo del contexto; haga todas las frases posibles con ellas.

   a) *público*
   b) *estado*
   c) *atención*
   d) *figura*
   e) *actividad*
   f) *consumo*

3) Ejercicio de asimilación:

   a) *Los impuestos que gravan la riqueza o la renta de manera inmediata son los ....*
   b) *Los que tienen en cuenta la situación personal del individuo son ....*
   c) *Los que se pagan con una cierta regularidad son..........*
   d) *Los que se pagan sólo cuando se produce un hecho imponible son ....*
   e) *Los que no tienen en cuenta la circunstancia del contribuyente son ....*
   f) *Diga de qué otra manera se puede decir:*

   - *contribuyente*
   - *pagar*
   - *monofásico*
   - *súbdito*
   - *gravar*
   - *impuesto «en cascada»*
   - *contraprestación*
   - *deducción*
   - *circunstancia personal*
   - *sucesión*

Reduzca sus impuestos.

Para desgravar... Deuda Desgravable.

Si quiere reducir sus impuestos suscriba ahora Deuda Desgravable. Es la única inversión del Tesoro que añade, a la garantía del Estado y a un 11,50% de interés, **todo un 15% de desgravación**. Invierta en Deuda Desgravable, desde 10.000 Pts.

Y con un plazo de amortización de 3 ó 5 años.

Suscriba esta emisión en Bancos, Cajas de Ahorros, Caja Postal u otros intermediarios financieros y descubra cómo su Impuesto sobre la Renta se reduce sensiblemente.

TESORO PUBLICO

BASE IMPONIBLE

Constituida por la parte del hecho imponible sobre la que se aplica el gravamen (carga impuesta sobre un inmueble o un caudal).

HECHO IMPONIBLE

Circunstancia prevista en la ley que origina el nacimiento de la obligación tributaria.

SUJETO ACTIVO

Es el beneficiario del tributo (el Estado central, los Estados federales, las comunidades autónomas y los gobiernos provinciales y municipales).

SUJETO PASIVO

Persona física o jurídica obligada al pago del impuesto.

TIPO IMPOSITIVO

Tarifa o escala que, aplicada a la base imponible, da la cuota tributaria.

2. Represión del fraude fiscal

Están en marcha tres proyectos de ley cuyo objeto es terminar con el *fraude fiscal:* régimen fiscal de determinados activos financieros, reforma del Código Penal (la parte referida al delito fiscal) y represión del fraude fiscal (RFF) propiamente dicho. Este último título asusta un poco; por lo tanto vamos a tomar el diccionario de la Real Academia para averiguar qué significa exactamente «fraude» y qué significa «represión».

«Fraude» es «engaño, inexactitud consciente, abuso de confianza que produce o prepara un daño, generalmente material». En el proyecto de ley parece que se utiliza más bien con el sentido de defraudación, ya que defraudar, según el diccionario, tiene, entre otros significados, el de «eludir o burlar el pago de los impuestos o contribuciones», mientras que «represión» es «la acción o efecto de contener, refrenar o moderar».

Así pues, la ley surge porque el contribuyente no cumple correctamente sus obligaciones fiscales.

A continuación, podemos formularnos una segunda pregunta: ¿Por qué no cumple el contribuyente?

El apartado 2 de la mencionada exposición de motivos del proyecto de ley da la solución. En él se detallan las causas, que son:

— la legislación tributaria es compleja;
— falta de educación cívica;
— resistencia a contribuir por falta de identificación de los beneficios del gasto público;
— insuficiencias técnicas del sistema de sanciones;
— escasez de medios personales y materiales de la administración de la Hacienda pública;
— mala organización de la Hacienda pública;
— mala situación económica del país en los últimos años.

Resumen, *Ejecutivos Financieros*, n.º 6, dic. 1984.

Ejercicios

1) Ahora le toca a Ud. establecer las definiciones, con ayuda de un diccionario si es necesario.

   a) *estar en marcha*
   b) *complejo*
   c) *sanción*
   d) *abuso de confianza*
   e) *constatación*
   f) *adopción*
   g) *imperativo constitucional*
   h) *gasto público*

2) Complete las frases de la columna A con las de la columna B, empleando los términos *a fin de, para, con el propósito de, de manera que, por miedo a, en caso de que.*

A	B
a) *Se han redactado tres proyectos de ley*	1) *a las sanciones;*
b) *Algunas personas actúan*	2) *la legislación tributaria no sea tan compleja;*
c) *Consultamos en un diccionario*	3) *evitar el fraude fiscal;*
d) *La política económica pública se dicta*	4) *conocer el significado de los vocablos;*
e) *Determinados contribuyentes cumplen con sus obligaciones fiscales*	5) *la represión;*
f) *Hay que mejorar la información*	6) *alcanzar unos objetivos.*

3) Dé varias razones por las que el contribuyente no cumple, empleando las expresiones *porque, ya que, debido a, a causa de.*

3. ¿Qué es el IVA?

El IVA es el *Impuesto sobre el Valor Añadido,* y se trata de un tributo que grava las entregas de bienes y prestaciones de servicios efectuadas por empresarios y profesionales en desarrollo de su actividad, así como las importaciones de bienes.

Sin embargo, no se trata de un impuesto que haya de ser soportado definitivamente por el empresario, profesional o importador, ya que su finalidad es recaer sobre el consumidor final de los bienes y servicios entregados o prestados por dichos sujetos. Para ello los empresarios y profesionales deben *repercutir* íntegramente el IVA sobre aquellos para quienes realicen las operaciones gravadas, actuando, en realidad, como meros intermediarios entre quienes consumen los bienes o se benefician de sus servicios, que les entregan el importe del impuesto, y Hacienda, que ha de recibir dicho importe.

Repercutir (un impuesto): causar una cierta cosa un efecto secundario en otra.

La *implantación* del IVA supone la desaparición, en el ámbito de la imposición indirecta, de una serie de impuestos que quedan sustituidos por aquél. Con su entrada en vigor, dejan de existir, además de otros tributos de menor importancia:

Implantación: acción de implantar, hacer que empiecen a regir o a ser observadas cosas, costumbres, leyes o reformas.

— el Impuesto General sobre el Tráfico de Empresas (IGTE o ITE);
— el Impuesto sobre el Lujo;
— el Impuesto Especial sobre Bebidas Refrescantes;
— el Impuesto de Compensación de Gravámenes Interiores;
— la *Desgravación* Fiscal a la Exportación.

Desgravación: acción y efecto de reducir un impuesto o eximir del mismo.

Existen razones internacionales y razones internas para la implantación del IVA. Las razones internacionales estriban en la incorporación de España a la *Comunidad Económica Europea,* que hace necesario armonizar nuestra fiscalidad con la normativa comunitaria, ya que ésta exige a los Estados miembros un Impuesto sobre el Valor Añadido que no distorsione las condiciones de competencia ni obstaculice la libre circulación de bienes y servicios entre los países de la Comunidad.

Comunidad Económica Europea: zona de unión aduanera y de integración económica creada por Bélgica, Francia, Italia, Luxemburgo, los Países Bajos y la República Federal Alemana en el marco del tratado de Roma de 25 de marzo de 1957.

Por otra parte, un porcentaje (de hasta el 1,4 por 100) de la base del IVA de todos los Estados miembros constituye la más importante fuente de financiación de la Comunidad Europea.

Entre las razones internas, podemos señalar que a la hora de establecer un impuesto general sobre las ventas se puede optar:

— por un impuesto que, como el IGTE, recaiga en cada transmisión sobre el valor total de los bienes o servicios objeto de ella.
— por un impuesto que grave únicamente el aumento del valor añadido experimentado en cada fase de los procesos de producción o de distribución de bienes o servicios (tipo IVA).

Las ventajas del IVA frente al IGTE son las siguientes:

— neutralidad: la carga fiscal que soporta un producto gravado por el IGTE aumenta al aumentar el número de transmisiones realizadas a lo largo del proceso de producción o distribución. Con el IVA, la carga fiscal es siempre la misma, con independencia del número de transmisiones que haya sufrido;

— estímulo a la inversión: el IVA estimula la inversión permitiendo deducir de forma inmediata el impuesto soportado en la adquisición de bienes de tal naturaleza, evitando la doble imposición económica que soportan con el IGTE;

— simplificación de los mecanismos de exportación: el IVA permite conocer con exactitud la carga fiscal soportada por cada producto, facilitando los ajustes fiscales en frontera.

(*El IVA hecho fácil,* Ministerio de Economía y Hacienda, 1985)

Ejercicios

1) Explique qué es el IVA, qué impuestos viene a sustituir y las distintas razones que aconsejan su implantación.

2) Desarrolle las ideas siguientes:

EL IVA RECAE SOBRE LOS CONSUMIDORES FINALES.	LOS EMPRESARIOS Y PROFESIONALES SON INTERMEDIARIOS EN LA RECAUDACION DEL IMPUESTO.	LAS VENTAJAS DEL IVA FRENTE AL IGTE son: neutralidad, estímulo a la inversión y simplificación de los mecanismos de exportación.

3) Complete las frases siguientes con la preposición adecuada:

a) *Se trata .... un impuesto que grava las entregas .... bienes y prestaciones .... servicios.*
b) *El IVA repercute .... aquellos .... quienes se realizan las operaciones gravadas.*
c) *Supone la desaparición, ... el ámbito .... la imposición indirecta, ... una serie de impuestos que quedan sustituidos .... éste.*
d) *Es un impuesto .... bebidas refrescantes.*
e) *España ha de armonizar su fiscalidad .... la normativa comunitaria.*
f) *Este producto está gravado .... el IGTE.*
g) *Hay una deducción .... forma inmediata.*
h) *Se puede conocer .... exactitud.*

4) Agrupe por continentes los países en los que se ha introducido el IVA, por ejemplo:

Europa (CEE)	*Asia*	*Africa*	*América*	*Otros países de Europa*
Francia	Corea	Marruecos	Ecuador	Austria

PAISES EN LOS QUE SE HA INTRODUCIDO EL IVA

Países miembros de la CEE	**Otros países**		
Francia	Argentina	Honduras	Suecia
R. F. Alemana	Austria	Israel	Uruguay
Holanda	Bolivia	Madagascar	
Bélgica	Brasil	Marruecos	
Luxemburgo	Chile	México	
Italia	Colombia	Nicaragua	
Reino Unido	Corea	Noruega	
Irlanda	Costa de Marfil	Panamá	
Dinamarca	Costa Rica	Perú	
Grecia*	Ecuador	Senegal	
España*			
Portugal*			

* A partir del 1 de enero de 1986.

4. El impuesto en cascada

El ITE es un impuesto en cascada.

Eso quiere decir que todo empresario cuando entrega bienes o presta servicios repercute sobre su adquirente la cuota del impuesto (Tipo × Base = Cuota).

Para el adquirente, el coste de lo adquirido equivale a todo lo pagado, precio e impuesto. Si es un empresario o profesional, tiene que calcular sus precios a partir del coste de todos los bienes (maquinaria, muebles, mercancías), y servicios (reparaciones) adquiridos; y como dicho coste incorpora el impuesto que se pagó, en el precio que se fije va una parte del ITE que se pagó. Por tanto, cuando luego se calcule sobre tales precios se estará calculando impuesto sobre impuesto (acumulación y piramidación) según el siguiente gráfico:

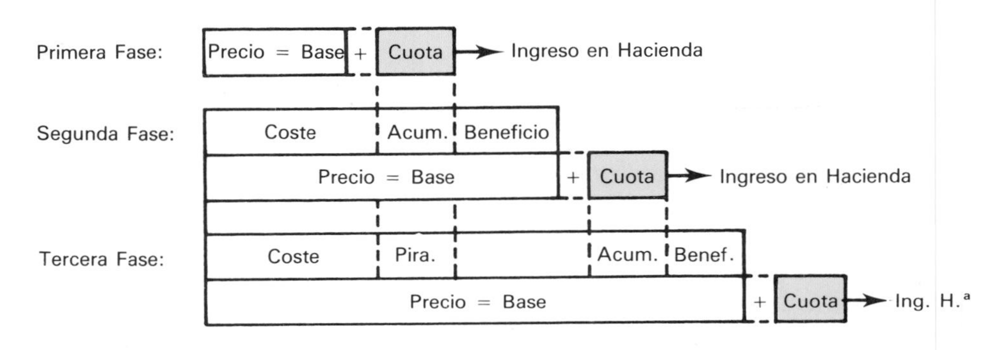

Lo que en números sería (ITE al 5 por 100):

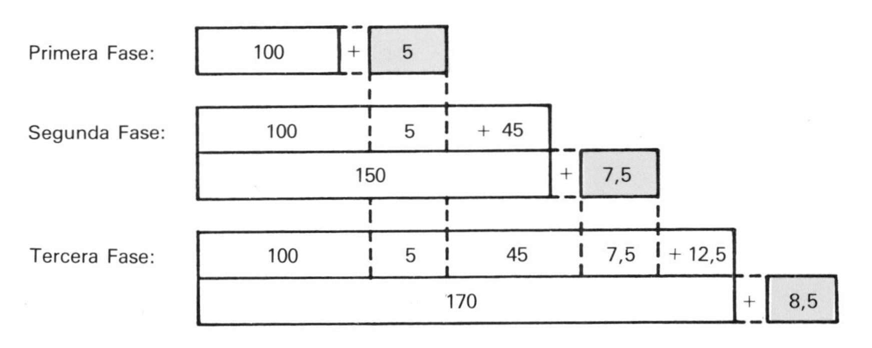

Del ITE al IVA, Ministerio de Economía y Hacienda, 1985.

Ejercicio

1) Conteste las siguientes preguntas:

   a) *¿Cuánto se habrá ingresado en el Tesoro Público por estos conceptos?*
   b) *¿Cuánto le habrá repercutido al consumidor final?*
   c) *¿Cuál es la incidencia en el precio de la tercera fase?*
   d) *¿Cuál es el coste fiscal de un producto que se vende en 170 pesetas?*
   e) *¿Es correcto decir que el 5 por 100 del ITE es un impuesto inferior al 12 por 100 del IVA? ¿Por qué?*

5. Habrá que coleccionar las facturas

C. G., **Madrid**

La integración en la CEE va a suponer para el ciudadano medio cambios sustanciales de su vida cotidiana: los impuestos y las leyes. La introducción del Impuesto sobre el Valor Añadido (IVA) desde el mismo día de nuestra incorporación, condición imprescindible para nuestra admisión en el *Club de Bruselas,* supone no sólo la desaparición de 23 tributos tradicionales en nuestro país, sino también un cambio en profundidad de la filosofía en que se sustenta el sistema fiscal español.

Desde el punto de vista económico, el IVA es un impuesto sobre el consumo. Un impuesto en cascada, inventado por un alemán en 1919 y puesto en práctica por primera vez en Francia en 1954, que grava de forma discriminada el valor añadido de los bienes y servicios en cada una de las fases desde su elaboración hasta el consumidor. No grava las ventas, como ocurría hasta ahora con el Impuesto sobre el Tráfico de Empresas (ITE). El empresario o profesional que cargue en sus facturas el nuevo impuesto no ingresará en el Tesoro todo el IVA repercutido, como ocurría hasta ahora con el ITE, sino sólo la diferencia que resulte de deducir previamente lo que él pagó a sus proveedores de bienes y servicios por el mismo concepto tributario.

Este mecanismo de progresivos gravámenes y deducciones obligará a todos los ciudadanos a exigir y guardar las facturas de los distintos bienes y servicios que consuman o manipulen en su proceso de producción o comercialización. La profundidad de este cambio y el posible caos que puede crear entre los minoristas españoles, poco habituados a llevar un riguroso control y una contabilidad ortodoxa de sus negocios, ha movido al Gobierno a idear una tasa de equivalencia que sustituya la estricta aplicación del IVA en esta última fase del ciclo económico de bienes y servicios.

El proyecto español de IVA fija tres tipos diferentes de gravamen: el reducido (un 6 %), el general (un 12 %) y el incrementado (un 33 %). El primero se aplicará a los productos y servicios de consumo básico (alimentación, semillas, transportes municipales, libros, revistas y periódicos y viviendas de protección oficial). El tipo incrementado gravará los artículos sometidos hasta ahora al impuesto de lujo (joyas, alfombras, barcos, aviones, alta costura) y a los automóviles. Y el resto de bienes y servicios estará sometido al gravamen general del 12 %.

La introducción del IVA va a suponer un incremento generalizado de los precios que se estima entre tres y cuatro puntos adicionales de inflación. Muchos bienes y servicios subirán sus precios para repercutir en el consumidor aumentos de fiscalidad, y otros, aunque resulten beneficiados tributariamente con la aplicación del IVA, también subirán por el efecto psicológico que supone sobre industriales y comerciantes la introducción de un nuevo y desconocido impuesto. Por si acaso, subirán los precios de sus productos.

EL PAIS, domingo 31 de marzo de 1985.

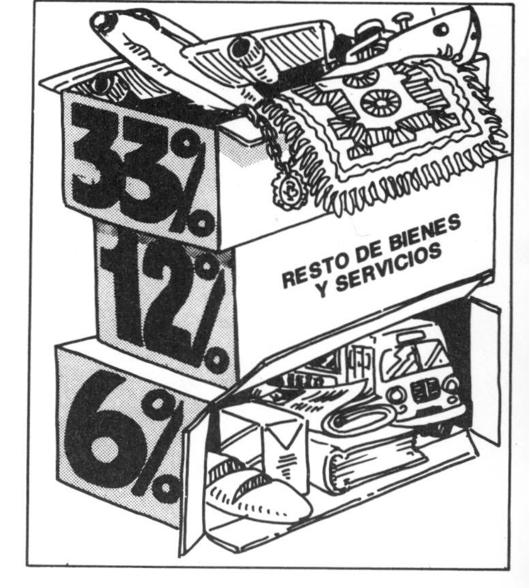

El Impuesto sobre el Valor Añadido (IVA) se aplicará en diferentes porcentajes en función del tipo de productos.

Ejercicio

Le han encargado que escriba a máquina una entrevista que alguien ha hecho al autor de este artículo, pero le han dado sólo las respuestas; así que usted tendrá que formular las preguntas correspondientes a estas respuestas:

a) *La entrada en la CEE va a suponer para el ciudadano medio cambios importantes.*
b) *Por ejemplo, en los impuestos y las leyes.*
c) *La introducción del IVA era una condición imprescindible para nuestra admisión en el* Club de Bruselas.
d) *Va a exigir un cambio profundo del sistema financiero español.*
e) *La diferencia con el ITE estriba en que no grava las ventas, sino el valor añadido de los de los bienes y servicios, de forma discriminada, en cada una de las fases, desde su elaboración hasta el consumidor.*
f) *Los ciudadanos tendrán que guardar sus facturas, puesto que son un comprobante que se les puede exigir en cualquier momento.*
g) *Debido al cambio profundo que conlleva este impuesto y al posible caos que puede producir entre los minoristas, el Gobierno ha ideado una tasa de equivalencia que sustituya la estricta aplicación del IVA en esta última fase del ciclo económico.*
h) *Hay tres tipos de gravámenes: el reducido (un 6 %), el general (un 12 %) y el incrementado (un 33 %).*
i) *Se estima que el IVA va a suponer un incremento de los precios entre tres y cuatro puntos adicionales de inflación.*
j) *Es posible. Los industriales y comerciantes subirán los precios de sus productos, por si acaso.*

Sopa de letras

En este cuadro podrá encontrar diez términos que han aparecido en este capítulo. Se pueden leer horizontal y verticalmente en todas las direcciones.

W	R	C	R	O	D	I	M	U	S	N	O	C	H
P	Q	U	F	M	I	C	P	H	W	Y	O	U	I
H	U	M	N	A	G	R	A	V	A	M	E	N	C
P	R	O	Y	E	C	T	O	J	E	J	E	U	U
B	N	A	K	A	A	T	R	I	B	U	T	O	T
U	L	N	C	A	D	K	U	Ñ	O	G	H	M	C
B	U	A	H	N	N	H	R	R	P	T	K	L	W
C	P	Q	Ñ	J	E	E	D	U	A	R	F	H	P
T	R	A	V	I	I	E	S	U	R	F	K	Ñ	J
C	S	S	A	N	C	I	O	N	S	S	K	N	C
A	N	U	C	O	A	P	Q	H	W	R	S	T	A
T	V	G	U	R	H	A	C	U	E	I	A	M	N
S	G	N	O	I	C	A	R	G	E	T	N	I	J
C	O	N	T	R	I	B	U	Y	E	N	T	E	G

VIII. Los seguros

1. Concepto y función del seguro

El *riesgo,* fenómeno unido a la vida humana desde su nacimiento, es un motivo de preocupación que origina el deseo de asegurarse frente a él, al menos en lo que respecta a sus consecuencias económicas.

Riesgo: posibilidad de que ocurra una desgracia o un contratiempo.

La finalidad del seguro es, pues, proporcionar esa seguridad contra el riesgo.

Desde el punto de vista jurídico, el seguro es un contrato mediante el cual una de las partes, el asegurador, se obliga a pagar una *indemnización* o suma de dinero al asegurado —o a una tercera persona— cuando le ocurre un acontecimiento incierto, pero ya previsto, a la persona o cosa que ha sido asegurada a cambio de una *prima* o **cuota.**

Indemnización: acción y efecto de indemnizar: compensar un daño o perjuicio.

Prima: tanto por ciento que cobra el asegurador sobre el valor de los artículos que asegura.

Por tanto, los elementos del contrato del seguro son:

a) El asegurador: es la entidad que recibe la prima, obligándose a abonar, en el caso de que ocurra el *siniestro,* la indemnización o capital convenido.

Siniestro: avería grande o pérdida importante que sufren las personas o la propiedad.

b) El asegurado: es la persona, individual o jurídica, que está obligada a pagar la prima y a quien corresponde un derecho propio para obtener la prestación del asegurador.

Póliza: documento justificativo del contrato en seguros, operaciones de Bolsa y otras negociaciones comerciales.

c) La *póliza:* el contrato de seguro se consigna por escrito en una póliza u otro documento, público o privado, suscrito por los contratantes. En la póliza del contrato de seguro deberán figurar:

— los nombres del asegurador y del asegurado;
— el concepto en el cual se asegura;
— la designación y situación de los objetos del seguro;
— la suma en que se cifra los objetos del seguro;
— la cuota o prima a que se obliga el asegurado. Forma y modo de pago;
— la duración del seguro;
— la fecha en que comienzan los efectos del contrato;
— otros seguros, si los hubiere, sobre los mismos objetos.

d) Riesgo: es la posibilidad de que se produzca una pérdida material para el asegurado. El riesgo ha de ser incierto.

Dentro del ámbito del seguro se contemplan dos tipos esenciales: los que tratan de reparar un daño (indemnizando) y los que tratan de satisfacer un capital convenido cuando se produzca el acontecimiento acordado, con independencia de que sea económicamente dañoso o no.

Previsión: acción y efecto de prever: ver con anticipación.

Por ello, la función del seguro es distinta en el seguro de daños (incendio, robo, responsabilidad civil), estricta función indemnizatoria de los daños sufridos, y en el seguro de personas, función de *previsión* o ahorro.

Ejercicios

1) Explique qué entiende por seguro.

2) Complete estas frases:

a) *El documento que acredita el seguro se llama ....*
b) *La persona que ha suscrito un contrato de seguro es el ....*
c) *La indemnización es ....*
d) *Una de las condiciones para que el contrato de seguro sea válido es ....*
e) *La finalidad del seguro es ....*
f) *La suma de dinero que el asegurado debe pagar el asegurador se llama ....*
g) *Las funciones del seguro pueden ser .... y de ....*

3) Escriba el verbo correspondiente a:

a) *cobertura*
b) *riesgo*
c) *seguro*
d) *contrato*
e) *indemnización*
f) *prestación*
g) *responsabilidad*
h) *previsión*
i) *daño*
j) *capital*

Garantía: dinero que tiene o puede disponer una persona o una entidad.

Pensión: cantidad anual que se asigna a una persona.

Reembolso: acción y efecto de reembolsar: volver una cantidad a poder del que la ha desembolsado.

Incapacidad: cualidad o estado de incapaz. Falto de aptitudes.

GRADO DE CONCENTRACION DEL MERCADO DE SEGUROS EN EUROPA

Países	Cuota de mercado de las 10 primeras entidades	Cuota de mercado de la primera entidad
Alemania	25,19	5,22
Bélgica	51,40	14,50
Dinamarca	61,34	12,97
Francia	41,77	9,28
Irlanda	65,11	20,66
Holanda	45,37	11,34
Reino Unido	51,41	10,28
España	33,02	6,20
Portugal	54,52	12,57
Grecia	52,91	14,86

Unespa, *El Derecho de Seguros de las Comunidades...*, 1979.

2. Modalidades de seguros

Por su especial interés, presentamos a continuación un breve resumen de las diferentes clases de seguros que, en el actual ordenamiento jurídico español, podríamos clasificar en cuatro grandes grupos: Seguros de Personas, Seguros de Bienes, Seguros de Responsabilidad y Seguros de Pérdidas Patrimoniales.

A pesar de su extrema variedad, las distintas clases de Seguros pueden clasificarse en cuatro grandes grupos:

I. Seguros relativos a las Personas. En ellos las obligaciones del Asegurador están basadas en la vida humana y sus prestaciones se hacen efectivas cuando fallece el Asegurado (Seguro en caso de Muerte), o si la vida del Asegurado alcanza una fecha fijada de antemano (Seguros en caso de Vida).

Así, las distintas fórmulas de Seguros sobre la Vida son combinación de estos dos tipos fundamentales, dependiendo la importancia relativa de los elementos «en caso de muerte» o «en caso de vida» de la preponderancia que se desee otorgar a la protección familiar o a la propia previsión personal.

En la práctica, esta combinación de fórmulas, con la posibilidad de elegir distintos importes de *garantías* y formas de pago, permite cubrir las más variadas necesidades personales. Además, para cada tipo de Seguro, las prestaciones del Asegurador pueden ser pagadas en forma de Capital o de Renta periódica, ligada a la vida del Asegurado o de sus beneficiarios.

Por otra parte, las necesidades de previsión colectiva de las empresas a favor de sus empleados han hecho progresar los Seguros Colectivos, bien bajo la forma de Seguros de Capital, o creando Planes Privados de *Pensiones* basados en el Seguro de Renta.

Dentro de esta categoría de seguros personales se incluyen también los de Enfermedad y de Accidente, que pueden cubrir una o varias de las siguientes prestaciones: *Reembolso* total o parcial de gastos médicos, farmacéuticos y de hospitalización; Pago de una indemnización diaria en caso de *incapacidad* temporal; Pago de un capital en caso de fallecimiento o incapacidad total o parcial a causa de accidente.

II. Seguros relativos a los Bienes. Garantizan al Asegurado la indemnización de las consecuencias perjudiciales de un daño que afecte a sus bienes materiales.

Por ello se denominan también **Seguros de cosas** y, originariamente, la protección se limitaba a los casos de incendio y de pérdida de mercancías transportadas por mar. Posteriormente, se desarrollaron los Seguros de robo; Daños causados por las aguas; Pérdidas o daño a las mercancías en el curso de transportes de cualquier clase; Buques y Aeronaves; Automóviles; Avería de maquinaria; Cosechas y Pedrisco, entre otros.

III. Seguros de Responsabilidad. Destinados a suministrar la garantía del Asegurador en los casos en que el patrimonio de una persona física, o jurídica, pueda quedar afectado por la exigencia de una responsabilidad que le alcance.

Esta responsabilidad puede ser frente a terceros (Responsabilidad General). Respecto a las relaciones contractuales (Responsabilidad respecto a Clientes, o pasajeros transportados a título lucrativo), o referida a relaciones industriales (Responsabilidad de productos). Puede nacer con ocasión de una actividad profesional (Responsabilidad del Arquitecto, o del Transportista, por ejemplo), o en virtud de una cierta categoría social (Responsabilidad del Cabeza de Familia, o del Propietario de un Inmueble).

IV. Seguros de Pérdidas Patrimoniales. Por perjuicios distintos de los derivados de la pérdida o deterioro de un bien material, o de la exigencia de una responsabilidad. Dentro de este grupo se incluye el Seguro de Crédito, para el caso de *insolvencia* probada de un deudor. Asimismo, los seguros que tienen por objeto indemnizar al Asegurado de la carencia de ingresos por la interrupción parcial o total de su actividad empresarial (Pérdida de Beneficios como consecuencia de incendio o de avería de maquinaria).

¿Qué sucede en la práctica?

En la práctica, y para mayor facilidad de los asegurados, se agrupan en una sola póliza los diversos riesgos relativos a un bien o a una actividad determinada. Así, por ejemplo, las pólizas de Seguro de Automóvil comprenden todas las garantías que afectan al vehículo (Daños, Incendio y Robo), al propietario o conductor (Responsabilidad Civil) y a los ocupantes (Accidentes). En esa misma línea, y como un paso más en la adecuación de la oferta, nacieron las denominadas Pólizas combinadas o Multirriesgo, que incluyen todos los Seguros correspondientes a ciertos bienes, actividades o categoría social. Por ejemplo, Seguro Combinado de la Vivienda, Multirriesgo del Hogar o Multirriesgo de Comercios.

Así se pone de manifiesto la idea de los aseguradores de ofrecer garantías que tengan más en cuenta las necesidades de los asegurados que la propia clasificación de la técnica aseguradora.

Ejecutivos Financieros,
Nov.-Dic. 1984.

Responsabilidad: calidad de responsable; obligación de responder de una cosa.

Insolvencia: incapacidad de pagar las deudas o de cumplir cualquier clase de compromiso u obligaciones.

Ejercicios

1) De acuerdo con el artículo que acaba de leer:

I. Las modalidades de seguros las podemos clasificar en grupos:

a) *varios*
b) *múltiples*
c) *cuatro*
d) *innumerables*

II. Los seguros relativos a las personas cubren:

a) *sólo en caso de muerte*
b) *sólo en caso de accidente*
c) *el capital*
d) *las más variadas necesidades de las personas*

III. Con la modalidad del seguro de accidentes y enfermedad se cubren:

a) *los gastos médicos y hospitalización*
b) *indemnización en caso de incapacidad temporal*
c) *indemnización en caso de fallecimiento o incapacidad total*
d) *una o varias de estas prestaciones*

IV. En los seguros relativos a los bienes se cubre:

a) *la pérdida de mercancías*
b) *indemnización por un daño que afecte a los bienes materiales*
c) *daños causados por las aguas*
d) *daños a cosechas y pedrisco*

V Los seguros de responsabilidad se pueden considerar:

a) *como exigencia de una responsabilidad*
b) *como una garantía del asegurador*
c) *como un contrato*
d) *como una indemnización segura*

2) Escriba un resumen esquemático de las distintas modalidades de seguros.

3) A continuación verá un anuncio, léalo atentamente y explique en qué modalidad lo encuadraría, qué riesgos cubre y otros detalles que considere interesantes. ¿Le parece suficientemente claro?

AGRICULTOR

Es tiempo de estar seguro

RELACION DE SEGUROS QUE SE PUEDEN CONTRATAR EN ESTOS MOMENTOS

COMBINADO HELADA Y PEDRISCO EN ALBARICOQUE
COMBINADO HELADA Y PEDRISCO EN MANZANA DE MESA
COMBINADO HELADA Y PEDRISCO EN MELOCOTON
COMBINADO HELADA Y PEDRISCO EN PERA
COMBINADO HELADA Y PEDRISCO EN CIRUELA
COMBINADO HELADA Y PEDRISCO EN CEREZA

PLAZO LIMITE DE CONTRATACION

ALBARICOQUE	15 MAYO 1985
MANZANA DE MESA	15 MAYO 1985
MELOCOTON	15 MAYO 1985
PERA	15 MAYO 1985
CIRUELA	15 MAYO 1985
CEREZA	15 MAYO 1985

SEGUROS AGRARIOS COMBINADOS

CONSULTA A TU AGENTE DE SEGUROS O ENTIDAD ASEGURADORA
Es un consejo de la Agrupación Española de Entidades Aseguradoras de los Seguros Agrarios Combinados, S. A. (AGROSEGURO)

3. El reaseguro

Es el contrato mediante el cual un asegurador toma a su cargo, total o parcialmente, un riesgo ya cubierto por otro asegurador, sin alterar lo convenido por éste y el asegurado.

El reasegurador puede, a su vez, ceder todo o parte del riesgo que ha aceptado a otro asegurador. Esta operación se llama retrocesión, y no es sino el reaseguro hecho por un reasegurador.

Antesala de los grandes proyectos

El reaseguro, una solución segura

En este siglo, y especialmente durante los últimos años, el reaseguro ha tomado una importancia vital en el mundo del seguro

LAS catástrofes de los petroleros «Castillo de Bellver», que supuso en total 11.000 millones de pesetas, y «María Alejandra», del avión de Iberia que se estrelló en el monte Oiz, con un montante de 1.600 millones, en caso del avión, responsabilidades civiles, pólizas subsidiarias de vida, accidentes, tarjetas de crédito, y el choque de aviones de Barajas, de meses atrás, las inundaciones de Bilbao y Valencia..., han puesto de actualidad esta realidad financiera y mercantil, aun cuando el papel de las empresas o compañías reaseguradoras no trascienda tanto como la propia catástrofe, accidente o desgracia.

En líneas generales, el reaseguro libera a la compañía aseguradora de parte de las enormes responsabilidades contraídas, permitiéndole cubrir riesgos de grandes magnitudes, como los señalados, que de otra forma no hubiera podido aceptar. De hecho, todos los ramos del seguro contemplan ciertos riesgos y modalidades que, debido a su tamaño y naturaleza, una compañía de seguros no podría permitirse retener en propia cuenta, tales como los grandes aviones, los enormes petroleros y, en general, todos los avances tecnológicos y las fuertes concentraciones de riesgos.

Cuando una compañía de seguros acepta cubrir un riesgo, esto no supone en absoluto el final del complicado proceso; muy al contrario, ha de establecerse toda una nueva cadena de negociaciones para distribuir y repartir este riesgo, haciéndolo posible a la hora del siniestro. Esto es, en definitiva, el reaseguro.

Una operación de reaseguro es un acuerdo entre dos partes, llamadas cedente y reasegurador, por el cual la cedente acuerda ceder al reasegurador se comprometa a aceptar una parte del riesgo, según los términos y condiciones establecidos.

Así, si la función del asegurador es la de proteger al asegurado contra una pérdida potencial, la del reasegurador es la de cubrir al asegurador de la misma forma, y muy especialmente frente a las grandes catástrofes, ya que, como se ha dicho antes, las enormes pérdidas acumuladas en estos casos serían totalmente imposibles de cubrir no ya por un asegurador concreto, sino incluso por un mercado nacional.

Un entramado complejo y muy trabajado de seguros y reaseguros múltiples hacen posible que cualquier contingencia, por costosa que sea, venga cubierta sin mayores riesgos para nadie. En todo momento el asegurador original se mantiene al margen de la operación de reaseguro, no adquiriendo derecho sobre la misma. En caso de siniestro, la compañía cedente sería la única responsable del pago de la indemnización. Incluso en caso de quiebra del reasegurado, ésta continúa siendo responsable de la totalidad de la cantidad reclamada. De ahí la importancia de que el esquema del reaseguro de una compañía, ese entramado esquema de reaseguradores múltiples, esté bien planificado y se adapte a sus necesidades y se efectúe con reaseguradores de solvencia manifiesta.

Este mercado internacional se ha complicado y sofisticado enormemente en los últimos tiempos, y la compañía aseguradora puede sentirse perdida y con pocos medios e información para acceder a ellos. El conocimiento profundo de todos estos factores y de las técnicas internacionales de reaseguro exige la intervención de especialistas cualificados. Ellos son quienes combinan profesionalmente todos los elementos necesarios, dando una respuesta satisfactoria a las crecientes necesidades reaseguradoras mundiales. Así nace el *corredor de reaseguros,* con una función de asesoramiento, diseño, planificación y colocación de programas de reaseguros, así como una canalización de información y prestación de todo tipo de servicios en el campo del seguro y reaseguro, siendo uno de los retos más grandes que enfrenta la industria del seguro, su utilización efectiva y su combinación con los mercados internacionales.

"La figura del corredor de seguros nace con una función de asesoramiento, diseño, planificación y colocación de programas de reaseguros"

Como quiera que sea, el sistema está claramente probado y aceptado, a la vista de las ventajas que el propio reaseguro ofrece y que, según información facilitada por Gil y Carvajal, se concreta: aumenta la capacidad de aceptación de la compañía cedente, contribuye a estabilizar los resultados del negocio de la cedente, permite dispersar los riesgos mediante la reciprocidad, proporciona a la cedente la posibilidad de conservar cierto nivel y tamaño al poder participar en riesgos importantes, suministra al asegurador una ayuda similar a la bancaria, capacita a la compañía cedente para retirarse de una clase o ramo de negocio o zona geográfica en breve período de tiempo, a la vez que permite al asegurador penetrar rápidamente en una zona o sector nuevo del negocio de seguros.

Diario 16, abril de 1985.

Corredor de seguros: agente de seguros.

Ejercicio de redacción:

Utilizando los conocimientos que ha adquirido en el tema de reaseguros, elabore un informe sobre el mismo: características, causas de su importancia en el mundo moderno, razones de la necesidad de verdaderos especialistas es este campo, etc.

4. Coaseguros en la CEE

Cobertura: cubrir un riesgo.

La más reciente norma de coordinación de seguros en la CEE es la relativa al tema de coaseguros, figura por la que varias entidades aseguradoras se reparten la *cobertura* de un riesgo que, por su volumen, sobrepasa la capacidad de concentración de riesgo de un único asegurado.

Los coaseguros, que representan la actividad aseguradora de mayor cuantificación económica, promueven, por su propia esencia cualitativa, el que su cobertura traspase las fronteras nacionales.

Se diferencia del reaseguro por la multiplicidad de aseguradores, responsable directo cada uno de la parte cubierta, mientras que en el reaseguro el asegurado trata solamente con el aperturista del seguro, que asegura, a su vez, su excedente de riesgo ante otros aseguradores.

La normativa de 1978 comprende todos los seguros de daños de elevada cuantía, que justifiquen una cobertura internacional, excluyéndose los que por su naturaleza son de aplicación personal, tales como enfermedad, accidente o responsabilidad civil de vehículos.

La Europa de los Doce, Banco Central.

Ejercicios

1) Escriba una frase con cada uno de los conceptos siguientes:

a) *norma*
b) *coordinación*
c) *coaseguros*
d) *entidad*
e) *riesgo*
f) *responsable directo*
g) *aperturista*
h) *elevada cuantía*
i) *normativa*
j) *responsabilidad civil*

2) Explique, por escrito, en qué se diferencia el coaseguro del reaseguro.

3) ¿Cómo andamos de acentos? Acentúe las siguientes palabras, si lo considera necesario.

a) *desviacion*
b) *automovil*
c) *funcion/funciones*
d) *medico*
e) *formula opcional*
f) *dinamica/dinamismo*
g) *minimo/maximo*
h) *solvencia*
i) *vital*
j) *cuantia*

CONSOLIDACION: ¿Qué recuerda usted de...?

V. LA EMPRESA

— Prepare un resumen sobre los fines de la empresa.
— ¿Qué tipos de empresas recuerda?

VI. EL SISTEMA FINANCIERO

a) ¿Cuáles son los órganos ejecutivos y cuáles los consultivos del sistema bancario español?
b) Instituciones financieras del Mercado Común.
c) En Bolsa, ¿a qué llamamos acción, cupón, dividendo, entero y plusvalía?

VII. LOS TRIBUTOS

— Teniendo en cuenta lo que ha aprendido en esta lección, explique las frases siguientes:

a) Hay que dar al César lo que es del César y a Dios lo que es de Dios.
b) Recuerde: Hacienda somos todos.
c) Se va a incrementar la presión fiscal.
d) Suscriba deuda desgravable. Reduzca sus impuestos.
e) Se trata de un impuesto en «cascada».

VIII. LOS SEGUROS

1) Complete las frases siguientes eligiendo la palabra correcta de entre las que se ofrecen: *indemnización, responsabilidad, prima, daños, asegurador, cubre, póliza, riesgo, reaseguro, corredor.*

   a) En la práctica del seguro, se distinguen los seguros de .... y los seguros de ....
   b) Este seguro sólo .... en caso de accidente.
   c) Es un acuerdo entre asegurado y ....
   d) El hombre siempre ha tenido aversión por el ....
   e) No estaba fijada la cuantía de la ....
   f) Una solución segura, el ....
   g) La función de asesoramiento corresponde al .... de seguros.
   h) No encuentro la .... de mi seguro de vida.
   i) El asegurador recibe una cantidad, llamada ...., en concepto de contraprestación por asumir un riesgo.
   j) En reaseguros, la retrocesión es ....

IX. El comercio exterior

1. La política de promoción de las exportaciones

La importancia de la exportación justifica, por sí misma, la necesidad de desarrollar una adecuada política de promoción. Ocurre, además, que la exportación depende de otros países que están soportando reveses económicos similares. Mantener, profundizar e iniciar corrientes comerciales hacia esos mercados obliga a realizar esfuerzos extraordinarios de *fomento* de las exportaciones. Sin embargo, la capacidad de maniobra en este campo se ha reducido considerablemente: primero, por la crisis latinoamericana y la desaceleración de las economías de otros países en vías de desarrollo, lo que obliga a concentrar esfuerzos en un número más limitado de ellos, fundamentalmente los de la *OCDE;* segundo, por el *proteccionismo,* que tiende a limitar la posible aplicación de algunas medidas de fomento. Para afrontar esta problemática se comenzó en los últimos años una serie de reformas que afectaba a la financiación y organización de los servicios de promoción comercial. Por una parte, la consideración de las consignaciones presupuestarias para promoción como gastos de inversión ofreció la posibilidad de disponer de recursos crecientes; por otra, la creación del *INFE* (Instituto Nacional de Fomento de la Exportación) permitió iniciar la creación de un aparato administrativo suficiente y flexible, con capacidad para diseñar una nueva estrategia de promoción comercial.

Fomento (o incentivo): medio de provocar en los agentes de la economía un comportamiento juzgado conveniente por los dirigentes de la política económica.

Proteccionismo: doctrina, teoría o política económica que propugna —o pone en práctica— un conjunto de medidas que favorece las actividades nacionales, penalizando la competencia extranjera.

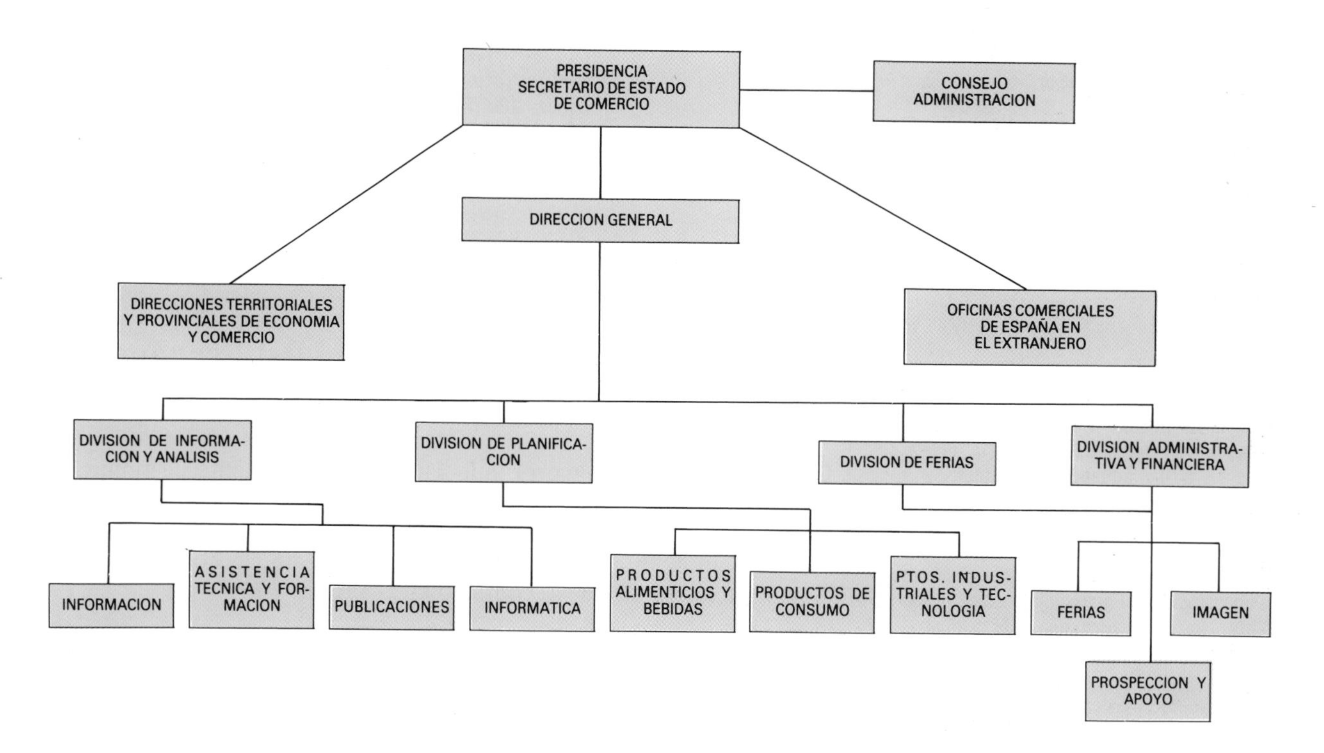

Organigrama de la Secretaría de Estado de Comercio. INFE.

El INFE es un ente público adscrito al Ministerio de Economía y Hacienda, a través de la Secretaría de Estado de Comercio. Tiene personalidad jurídica propia y está sometido, en el desarrollo de sus actividades, a las normas de Derecho privado. El INFE cuenta con sus propios medios y con la eficaz colaboración que le prestan tanto la red de oficinas comerciales de España en el extranjero como las Direcciones territoriales y provinciales de Economía y Comercio.

Fruto de todo ello son los servicios que hoy pueden ofrecer al exportador a través de sus distintas divisiones: información y análisis, administrativa y financiera; planificación y ferias, etc.

(INFE, *passim,* 1985)

Ejercicios

1) Responda estas preguntas sobre el texto:
   a) *¿Es importante fomentar la exportación?*
   b) *¿Se pueden mantener o iniciar corrientes comerciales?*
   c) *¿En qué países resulta esto especialmente difícil?*
   d) *¿Cómo se ha intentado resolver la dificultad en España?*
   e) *¿Qué son las consignaciones presupuestarias?*
   f) *¿Qué es el INFE?*
   g) *¿Cuáles son sus funciones?*
   h) *¿Con qué medios cuenta el INFE?*
   i) *En su opinión, ¿en qué medida pueden ayudar las divisiones del INFE al exportador?*

2) Diga el verbo correspondiente a los sustantivos siguientes y a continuación escriba una frase con cada uno de esos verbos, utilizando la voz pasiva.
   a) *exportación*
   b) *promoción*
   c) *fomento*
   d) *desaceleración*
   e) *distribución*
   f) *aplicación*
   g) *financiación*
   h) *continuidad*
   i) *colaboración*
   j) *planificación*

2. Hacia la creación de la Comunidad Económica Europea

Liberalización: medida o conjunto de medidas destinadas a favorecer los intercambios comerciales mediante reducción de las tarifas aduaneras y ampliación o supresión de la contingentación. Contingente: límite cuantitativo fijado por el poder público para el ejercicio de un derecho o importe de la participación en una carga, en el marco de una asignación autoritaria de recursos o de contribuciones.

Bilateral: adjetivo de bilateralismo: organización de los intercambios internacionales mediante sendos acuerdos directos y recíprocos entre Estados.

Concluida la segunda guerra mundial, con un continente en ruinas, a los europeos se les plantean dos problemas fundamentales: la reconstrucción de sus países, por una parte, y la reactivación de la producción del Viejo Continente, por otra. Además, tenían que encontrar la fórmula que impidiera un nuevo conflicto en el futuro.

El 16 de abril de 1948 se crea la Organización Europea de Cooperación Económica (OECE), cuyo objetivo fundamental era preparar un programa conjunto de desarrollo económico y de *liberalización* de intercambios y pagos, tendente a eliminar el sistema *bilateral* imperante en ese momento.

A continuación, se crea la Unión Europea de Pagos *(UEP),* el 19 de septiembre de 1950. Los países signatarios de la misma convinieron acerca de la compensación de sus *deudas* y créditos bilaterales, las modalidades de pago de los *saldos* resultantes y la liberalización progresiva de sus intercambios.

Deuda: es la obligación que uno tiene de pagar o reintegrar a otro una cosa.

Saldo: cantidad de una cuenta que resulta a favor o en contra de uno. Saldar: pago o finiquito de deuda u obligación.

En estos organismos no estaba la idea de la Europa unida, ya que se limitaban al aspecto técnico-económico. Para paliar esa falta de presencia política, se crea el Consejo de Europa, y así, poco a poco, va germinando la idea de algunos políticos de transferir poderes efectivos a un organismo común, con competencias limitadas a determinados ámbitos.

El primer paso adelante, en este sentido, se dará el 9 de mayo de 1950, con la declaración hecha por Robert Schuman, en París. Los objetivos de esta declaración son fundamentalmente dos: la reconciliación franco-alemana y la creación de una federación europea.

El 18 de abril de 1951 se crea la Comunidad Europea del Carbón y del Acero *(CECA),* presidida por Jean Monnet, que se instala en Luxemburgo.

En 1953 empiezan a funcionar los mercados del carbón, los de chatarra de hierro y los del acero. Con la euforia de este éxito, dan comienzo las negociaciones para la unificación política, y nace la Comunidad Europea de Defensa *(CED).*

En 1955, los representantes del Benelux plantean, dentro de la CECA, la necesidad de alcanzar un mercado común en Europa. El memorándum presentado por Benelux es estudiado por parte de los ministros de Relaciones Exteriores de los Seis. Tras la reunión de Venecia, en la que dichos ministros deciden proseguir las negociaciones relativas a la creación de la Comunidad Económica Europea *(CEE)* y la Comunidad Europea de la Energía Atómica *(Euratom* o *CEEA),* se iniciaron las negociaciones tendentes a ese fin en Bruselas, el 26 de junio de 1956. Nueve meses más tarde, el 25 de marzo de 1957, en el Campidoglio de Roma, se firmaron los **tratados** del Mercado Común y del Euratom. La ratificación de los seis Parlamentos se realizó en el transcurso del año, entrando en vigor el 1 de enero de 1958.

Ejercicios

1) Desarrolle las siglas siguientes:

   a) *OECE* d) *CECA*
   b) *CEE* e) *UEP*
   c) *CEEA* f) *CED*

2) Localice las fechas y los puntos de reunión importantes que señalaron el inicio del Mercado Común.

3) ¿Recuerda algunas de las personas y países que fomentaron la unión de Europa?

4) ¿Cuál es el Viejo Continente? ¿Por qué se le llama así? ¿Quiénes son los Seis?

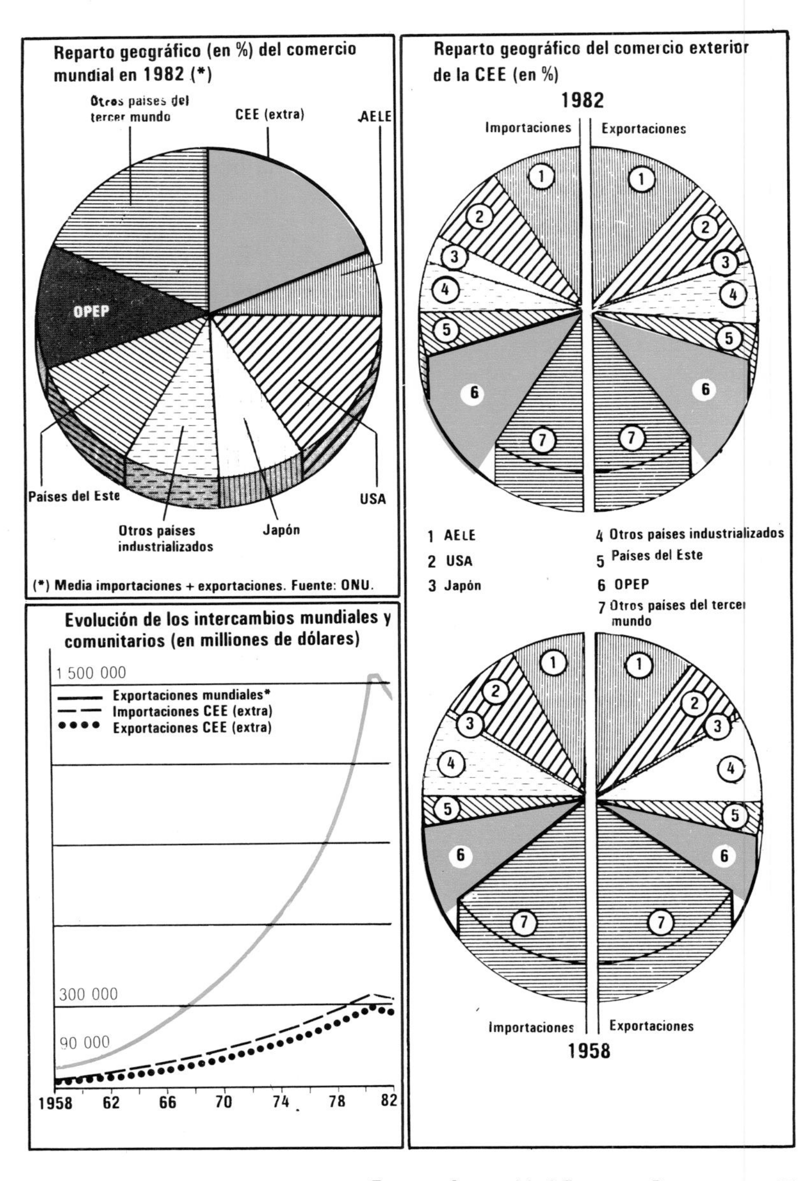

Fuente: Comunidad Europea, Documentos 84.

3. El Mercado Común Centroamericano y el Mercado Común del Caribe

El MCCA (Mercado Común Centroamericano) tuvo su gestación durante los años cincuenta. La Organización de Estados Centroamericanos (ODECA) se había creado en 1950; hasta 1956 se sucedieron distintos tratados bilaterales, alcanzándose en este año el primer instrumento bilateral, y el 13 de diciembre de 1960 se firma el tratado de Managua o Tratado de Integración Económica, por el cual nace formalmente el MCCA, que cuenta con 410,6 miles de km^2 y 18,2 millones de dólares de PNB; es decir, su volumen es reducido.

Los objetivos del MCCA fueron muy ambiciosos: junto con el desarme arancelario fundamental para el comercio intrazonal, se acordó la creación de una Tarifa Exterior Común (TEC) frente a terceros países. Esto es, se pretendía la constitución de un auténtico mercado común.

En los primeros años sesenta se avanzó con gran rapidez, y en esa época se intenta poner en marcha los Convenios de Industrias Centroamericanas de Integración y el de Incentivos Fiscales Uniformes, aunque en este terreno los pasos dados nunca llegaron a tener el alcance de lo obtenido en el campo comercial.

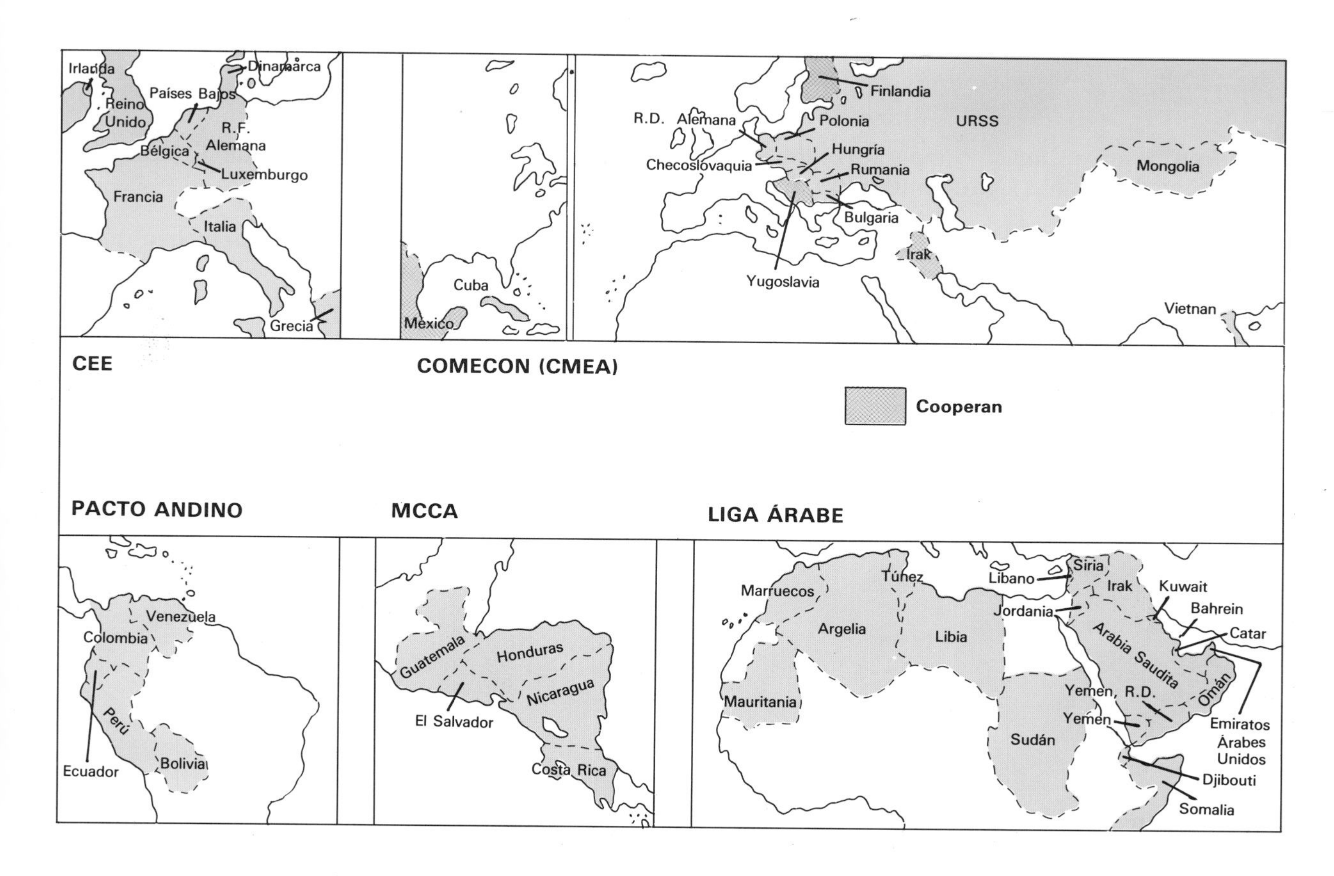

Localización geográfica de diversas uniones económicas internacionales.

En 1962 se creó la Cámara Centroamericana de Compensación, para agilizar el comercio intracomunitario. Y en 1964 se constituyó el Consejo Monetario Centroamericano, con el fin de caminar hacia la unidad monetaria.

A finales de la década de los setenta, el proyecto centroamericano tiende a agotarse, particularmente por el hecho traumático de la guerra entre Honduras y El Salvador, en 1969, hasta quedar en vía muerta.

También los pequeños países del área del Caribe buscaron una integración regional, poniendo en marcha la creación del Mercado Común del Caribe (CARICOM), que quedó constituido a la firma del tratado de Chaguaramas en 1973.

El CARICOM agrupa a doce países: Guyana, Jamaica, Trinidad y Tobago, Antigua, Dominica, Granada, Montserrat, St. Kitts-Nevis Anguila, San Vicente y Santa Lucía, que en total suman una extensión de 256,3 miles de km^2, contando en 1976 con 4.877 millones de habitantes y con un PNB de 6.000 millones de dólares.

De los objetivos marcados por el tratado de Chaguaramas sólo se ha desarrollado el que afecta a la liberalización del comercio intrazonal, que se ha desenvuelto de manera dinámica. Pero debido a su condición de insularidad, mientras no se mejore la red de transportes marítimos, los objetivos del CARICOM estarán lejos de ser alcanzados.

Ejercicios

1) Escriba un resumen comparativo sobre lo que acaba de leer: El Mercado Común Europeo y el Mercado Común Centroamericano. Coincidencias, similitudes.

2) Hombres como Jean Monnet, de Francia, y Winston Churchill, de Gran Bretaña, opinaban que los países que se necesitan económica y mutuamente no entablan guerras entre sí. ¿Cuál es su opinión?

3) Debate: La Unión Política Europea. ¿Los Estados Unidos de Europa? ¿Posible o imposible? ¿Una idea en vía muerta?

4) Complete el cuadro siguiente con los datos relativos a:

	CEE	MCCA	CARICOM
Número de países			
Nombre del tratado de constitución			
Año			
Fines			
Instituciones			
Otros detalles			

5) Combinando estas letras podrá llegar a formar hasta 14 siglas que ha encontrado últimamente en el texto. A continuación, ordénelas alfabéticamente:

A B C D E F I M N O P R T U

4. Crédito documentario

Evitar que el cobro de las exportaciones encuentre obstáculos o demoras es el objetivo del *crédito documentario,* mecanismo de pago en comercio internacional que viene de antiguo, aunque se puede decir que está instrumentado únicamente desde 1920. No obstante, es en la década posterior cuando nace una normativa internacional gracias a la cual el vendedor tiene plena seguridad en el *cobro* de sus ventas en el exterior y, por su parte, el comprador confía en la recepción de la mercancía tal y como ha sido contratada. En la actualidad, el 25 por 100 del volumen de ventas españolas al exterior se hace a través del crédito documentario.

Crédito documentario: técnica de liquidación de una operación comercial, en cuyo desarrollo la intervención de un banquero mandatario del importador y la transmisión de documentos representativos de la propiedad de las mercancías constituye una seguridad para ambas partes.

Cobro: acción de cobrar: percibir, por cuenta propia o ajena, alguna cantidad debida por otro.

Este instrumento consiste en un *convenio* mediante el cual el banco —entidad emisora del crédito—, a petición y de acuerdo con las instrucciones dadas por su cliente —ordenante comprador—, se compromete a efectuar el pago de las mercancías a un tercero —beneficiario o vendedor—, o bien a autorizar que en su nombre lo haga otra entidad bancaria, contra la entrega de unos documentos determinados y siempre que las *cláusulas* y condiciones estipuladas hayan sido debidamente cumplidas por el beneficiario de ese crédito.

Convenio: ajuste, concierto, pacto.

Cláusula: cada una de las disposiciones de un contrato.

Sin embargo, hay que distinguir entre dos clases de estos créditos: los revocables y los irrevocables. El primer tipo es de escasa utilidad, puesto que no constituye compromiso alguno que obligue jurídicamente al banco emisor respecto al beneficiario, y es el irrevocable el que supone una garantía formal por parte del banco emisor.

Por otra parte, el crédito ha de ser pagadero a la vista. Así, el exportador recibe el pago nada más presentados los documentos estipulados; si no, se entra en el mecanismo de pago mediante aceptación o negociación de letras de cambio. La seguridad es mayor si el cobro ha de hacerse en las propias cajas del banco intermediario; es decir, en el banco del exportador. La operación se completa con el cobro en moneda nacional o *divisa* fuerte. La eficacia y seguridad del **crédito documentario** está en el cumplimiento de todos estos pasos indicados.

Divisa: moneda considerada por referencia a otras (término de la técnica bancaria popularizado por las reglamentaciones de los cambios). En plural: medios de pago (billetes, cheques de viajeros, depósitos bancarios, etc.) expresados en una moneda extranjera.

Los plazos más frecuentes en el crédito documentario son los de uno, tres y seis meses, aunque existe la posibilidad de prórroga.

En cuanto a los documentos que intervienen en el crédito documentario, los tres más importantes son: la factura comercial, el conocimiento del *embarque* —representativo de la propiedad de la mercancía— y la póliza de seguro.

Embarque: acción de embarcar géneros, provisiones, etc.

Los problemas de operatividad dentro del desarrollo de los créditos documentarios suelen estar provocados por la falta de conocimiento de las Reglas y Usos Uniformes del Crédito Documentario —elaboradas por las Cámaras de Comercio Internacional— y el descuido en la presentación de documentos en cuanto a sus plazos y detalles, así como por la mala fe o intención de *fraude* en una de las partes. A ello han de sumarse las dificultades de algunos países para atender sus compromisos en el exterior y las trabas y subterfugios de que se valen otros para protegerse de ciertas importaciones. Además, el exportador puede tener

Fraude: declaración falsa en perjuicio del fisco.

confianza en que todo salga bien si él cumple con los requisitos pactados y presenta los documentos según lo previsto y en el plazo fijado.

El Empresario, n.º 94. Junio de 1985.

Ejercicios

1) Conteste las siguientes preguntas sobre el texto:

a) *¿Qué utilidad tiene el crédito documentario?*
b) *¿Desde cuándo existe una normativa internacional para este instrumento?*
c) *¿En qué consiste exactamente?*
d) *¿Cuántos tipos de créditos existen?*
e) *¿Cuál ofrece mayor garantía?*
f) *¿Qué plazos de pago hay?*
g) *¿Cuáles son los documentos necesarios?*
h) *¿A qué pueden deberse los problemas en el desarrollo del mismo?*

2) ¿De qué otra manera podría decirse?

a) *mecanismo de pago*
b) *el 25 por 100*
c) *este instrumento consiste en un convenio*
d) *cláusulas estipuladas*
e) *revocables*
f) *irrevocables*
g) *garantía formal*
h) *pagar a la vista*
i) *problemas de operatividad*
j) *mala fe*

EMPRESAS COMERCIALES

1. Empresas de exportación (Import/Export): meros intermediarios en operaciones de importación o exportación entre productos y comprador, que asesoran en problemas de financiación, licencias, seguros, fletes, etc. No asumen riesgos en las operaciones, salvo la comisión.
2. Empresas de *trading:* asumen riesgos, ya que compran los bienes o servicios al productor y los exportan o importan a través de su red comercial en el exterior. Sus beneficios son la diferencia entre el precio de compra y el de exportación, o el de importación y el de venta en el mercado interior.
3. *Consorcio* de empresas: es una variante de las empresas de *trading*. Comercializan sus productos en el exterior de forma conjunta, manteniendo la independencia en su línea de producción. Así, abordan conjuntamente la promoción de sus fabricados mediante servicios comunes.

ABREVIATURAS COMUNES

FOB (del inglés *free on board*): libre de gastos para el comprador hasta situar la mercancía a bordo del barco.

CIF (del inglés *cost, insurance, freight*): el vendedor corre con los gastos de llevar la mercancía al barco y, además, con los de flete y seguro durante el transporte por mar.

CF (del inglés *cost, freight*): igual que CIF, pero el vendedor no corre con los gastos del seguro.

FAS (del inglés *free alongside ship*): el vendedor sólo paga los gastos hasta situar la mercancía en el punto de embarque sin que corra con los gastos de carga o almacenaje en el puerto de origen.

CREDITO A LA EXPORTACION

		Operaciones	Beneficios	Condiciones	Pólizas seguro
CREDITOS A LARGO PLAZO	CREDITO COMPRADOR.	Adquisición en España de bienes de equipo, buques, plantas completas, etcétera.	Compradores extranjeros.	Límite máximo: 85 por 100. Plazo amortización: 5 años. Operaciones superiores a 14 millones. Interés 10 por 100 anual.	Póliza seguro de crédito comprador. Póliza de riesgo de cambio (cuando el crédito no se conceda en pesetas).
	CREDITO VENDEDOR CON PEDIDO EN FIRME A MEDIO Y LARGO PLAZO.	Exportación y fabricación de bienes de quipo, buques, proyectos y servicios técnicos.	Exportadores españoles, previo pedido en firme.	Límite máximo: 80 por 100. Plazo amortización: 5 años (normalmente). Interés: 10 por 100 anual.	Póliza de seguro de crédito a la exportación. Póliza de garantías bancarias.
CREDITOS A CORTO PLAZO	CREDITO VENDEDOR CON PEDIDO EN FIRME A CORTO PLAZO.	Movilización parte aplazada del precio de venta de determinados bienes.	Exportadores españoles, previo pedido en firme.	Límite máximo: 80 por 100. Plazo amortización: 12 meses. Interés: 10 por 100.	Póliza de seguro de crédito a la exportación.
	CREDITO VENDEDOR CON PEDIDO EN FIRME. PREFINANCIACION BIENES CONSUMO.	Fabricación de bienes de consumo, productos intermedios y materias primas.	Exportadores españoles, previo pedido en firme.	Límite máximo: 80 por 100. Plazo amortización: 3 meses para productos de los capítulos 1 a 24; 6 meses para el resto. Interés: 10 por 100 anual.	Póliza de seguro de crédio a la exportación. Póliza de garantías bancarias.
	CREDITO VENDEDOR SIN PEDIDO EN FIRME (CAPITAL CIRCULANTE).	Fabricación determinados productos.	Exportadores españoles sin previo pedido en firme.	Límite máximo: 12 por 100, 16 por 100, 20 por 100, 24 por 100, dependiendo producto. Plazo amortización: 12 meses. Interés: 10 por 100.	

		Operaciones	Beneficios	Condiciones	Pólizas seguro
CREDITOS INVERSIONES EXT. FOMENTO EXPORTAC. Y CREDITO CONSTRUCCION DEPOSITOS STOCKS	SERVICIOS COMERCIALES EN EL EXTRANJERO.	Establecimiento adquisición o ampliación de servicios comerciales.	Exportadores con personalidad jurídica reconocida para vender en un país determinado.	Límite máximo: 60 por 100 inversión real. Plazo: 6 años.	Póliza de seguro de inversiones en el exterior.
	SERVICIOS COMERCIALES EN EL EXTRANJERO.	Establecimiento adquisición o ampliación de servicios comerciales.	Exportadores con personalidad jurídica reconocida para vender en un país determinado.	Límite máximo: 60 por 100 inversión real. Plazo: 6 años.	Póliza de seguro de inversiones en el exterior.
	STOCKS.	Financiación stock en servicios comerciales en el extranjero.	Exportadores con personalidad jurídica reconocida para vender en un país determinado.	Límite máximo: 30 por 100 valor medio anual de las existencias. Plazo: 1 año renovable.	Póliza de seguro de inversiones en el exterior.
	INVERSIONES DIRECTAS.	Inversiones en instalaciones para completar o elaborar productos españoles.	Personas jurídicas que invierten en empresas con personalidad jurídica reconocida.	Límite máximo: 50 por 100 inversión real. Plazo: 8 años. Interés: 10 por 100.	Póliza de seguro de inversiones en el exterior.
	CONSTRUCCION DE DEPOSITOS STOCKS EN ESPAÑA.	Construcción de depósitos para almacenamiento de stock.	Empresas exportadoras.	Límite máximo: 70 por 100 nuevas inversiones. Plazo: 10 años. Interés dependiendo de crédito.	

Fuente: *Expansión Comercial,* del INFE.

5. Ferias y misiones comerciales

Las **ferias** son un medio de promoción de probada eficacia; las que se celebran en el extranjero permiten la exhibición de productos comercializados o fabricados en España y, al mismo tiempo, los exportadores españoles pueden conocer directamente las posibilidades de sus productos en el mercado exterior. Por otra parte, las ferias estimulan la competitividad y facilitan la adaptación de la oferta española a la *demanda* mundial, al tiempo que difunden entre los compradores extranjeros la oferta exportable española. Dentro del abanico de posibilidades de ferias en el exterior, podemos distinguir:

Demanda: cantidad de un bien o de un servicio que puede ser adquirida en un mercado en cierto precio definido y durante una cantidad de tiempo dada.

— Ferias o exposiciones exclusivamente españolas, cuyo fin es abrir mercados en países o áreas en que se pretende potenciar la presencia española.
— Ferias internacionales, monográficas o generales, a las que se acude con un pabellón propio.
— Ferias internacionales a las que acuden las empresas exportadoras, bien individualmente o como miembros de las agrupaciones sectoriales.

Como una variante de la actividad ferial nacional, podemos referirnos a las Semanas Españolas, generalmente en colaboración con grandes almacenes, mayoristas o cadenas de distribución extranjeras.

Es necesario hacer alusión a las misiones comerciales, que suponen un instrumento tradicional de promoción, consistente en el viaje de un grupo reducido de personas en representación de empresas exportadoras, generalmente de un mismo sector de producción. Su objetivo es promocionar directamente un producto mediante visitas a importadores potenciales. .

Una variedad de la misión es la misión-exposición, en realidad una mini-feria, que consiste en celebrar una exposición en un hotel o centro comercial, lo cual disminuye el coste de las exposiciones tradicionales.

La misión-symposium está destinada fundamentalmente a la promoción de maquinaria y bienes de equipo, y consiste en la celebración de unas jornadas técnicas a lo largo de las cuales se celebran conferencias, coloquios, proyección de películas, encuentros de empresarios, exhibiciones de productos, demostraciones, etc.

Por último, tenemos la misión-estudio. Su objetivo primordial es analizar las características y posibilidades de negocio que ofrece un mercado exterior determinado, estudiando la estrategia más adecuada para penetrar en él.

A la inversa, dentro del programa de promoción, se organizan misiones de posibles compradores extranjeros, que vienen a España con el fin de consolidar unas relaciones comerciales estables.

INFE, *passim,* 1985.

Ejercicios

1) Complete las frases de la columna A con las de la columna B.

A	B
a) *Una feria es ...*	1) *charlas, exhibiciones, demostraciones.*
b) *Los exportadores pueden...*	2) *se llama misión-estudio.*
c) *Las ferias estimulan...*	3) *un medio eficaz de promoción.*
d) *En las ferias internacionales se cuenta...*	4) *una mini-feria.*
e) *La misión consiste en...*	5) *con pabellón propio.*
f) *Una misión-exposición es....*	6) *ver las posibilidades del producto.*
g) *En el transcurso de las jornadas técnicas se celebran...*	7) *un viaje de promoción.*
h) *La misión que tiene por objeto analizar la posibilidad de un producto...*	8) *la competitividad.*

2) Haga una frase con el sustantivo correspondiente a los siguientes verbos:

permitir	*demostrar*
producir	*estimular*
costar	*potenciar*
consolidar	*promocionar*
analizar	*distribuir*

PRESUPUESTO DE PROMOCION DEL INFE PARA 1985

Concepto	Año 1984 Millones de ptas.	Año 1984 Total (%)	Año 1985 * Millones de ptas.	Año 1985 * % △ 84/85	Año 1985 * Total (%)
1. FERIAS EN EL EXTERIOR	**1.960,4**	**40,3**	**2.100,0**	**7,1**	**29,9**
1.1. Ferias con pabellón nacional	1.115,3		950,0		
1.2. Participaciones individuales	845,1		1.150,0		
2. PLAN DE AYUDAS A EMPRESAS	**868,8**	**17,8**	**1.876,0**	**116,1**	**26,8**
2.1. Consorcios	15,0		65,0		
2.2. ANEX			136,0		
2.3. Apertura de Mercados	464,0		1.000,0		
2.4. Establecimiento de Empresas	170,0		275,0		
2.5. Conciertos de Promoción	33,0		100,0		
2.6. FAOT	100,7		200,0		
2.7. VIAPROS	86,1		100,0		
3. PLANES SECTORIALES Y CENTROS DE PROMOCION	**1.568,9**	**32,2**	**2.339,0**	**49,0**	**33,4**
3.1. Centros	196,0		234,5		
3.2. Planes	1.372,9		2.104,5		
4. INFORMACION	**232,3**	**4,8**	**204,0**	**–12,2**	**2,9**
5. ASISTENCIA TECNICA	**213,1**	**4,4**	**492,0**	**130,8**	**7,0**
5.1. Becarios	95,4		75,0		
5.2. Cursos	38,5		137,0		
5.3. Homologación y precalificación	36,4		200,0		
5.4. Publicaciones y estudios	42,8		80,0		
6. OTROS GASTOS	**24,4**				
7. TOTAL	**4.867,9**	**100,0**	**7.011,0**	**44,0**	**100,0**

* Incluye los fondos asignados por el AES.
Al total de 1985 hay que sumar 200 millones presupuestarios para ferias interiores.

6. Hagamos prácticas

INTERFER-85, FERIA INTERNACIONAL DE GUATEMALA

El 31 de octubre de 1985 se inaugurará la VIII Feria Internacional de Guatemala, denominada comercialmente INTERFER, y que durará hasta el 11 de noviembre. El responsable de su organización es el Comité Permanente de Exposiciones, COPEREX.

En INTERFER-85 pueden participar los países en forma oficial con un pabellón nacional; empresas extranjeras individualmente o en conjunto, con un representante común; participantes nacionales en forma individual o en grupo representado por un organismo de industria del país, y cooperativas y empresas o industrias que monten exposiciones de artesanías de cualquier país, con la representación legal o personal que ofrezcan.

Guatemala tiene una ubicación geográfica privilegiada en el área Centroamericana, con puertos en los océanos Atlántico y Pacífico, aeropuertos internacionales y excelentes vías de comunicación. El comercio, la industria y la agricultura mantienen un constante desarrollo.

INTERFER-85 es un excelente medio para fortalecer los lazos de amistad y de comercio entre nuestros países.

Cualquier información adicional podrá recabarse en la Embajada de Guatemala en Madrid, calle Rafael Salgado, 3 (28036 Madrid). Teléfonos: 457 78 27 y 250 40 35.

Comercio e Industria, mayo 1985.

1) Lea atentamente el anuncio de la INTERFER-85 y formule las preguntas correspondientes:

fecha de celebración

responsables

participantes

sector interesado

características del país donde se celebra

objetivo de la feria

información adicional

2) Tome notas sobre la siguiente disertación que le sirvan para hacer una exposición en clase sobre el tema:

MODA Y DISEÑO

Moda: cualquier cosa de gusto o uso general en una época determinada.

Marca: es el signo diferenciador de las mercancías que se fabrican o se venden, o de los servicios que se prestan por una empresa.

La *moda,* además de ser un fenómeno sociológico, presenta una proyección económica de importancia creciente, pues es la punta de lanza de una industria de enorme tradición: textil, piel, joyería y bisutería. Sólo entre la industria textil y la de la piel reúnen unas 12.500 empresas, que dan trabajo a 520.000 trabajadores (lo que supone más del 10 % del empleo industrial) y producen por valor de 1.086.000 millones (más del 10 % PIB), exportando por valor de 176.000 millones de pesetas.

La moda, además de fomentar numerosas actividades comerciales, industriales y artesanales, prestigia internacionalmente a un país, creando para él una imagen de calidad. Por ello, los países económicamente fuertes consideran la moda como un valor añadido, preocupándose por darle el respaldo necesario para el lanzamiento internacional de sus *marcas.*

El INFE, consciente de la importancia del sector, tiene previstas determinadas acciones encaminadas a su promoción global. El objetivo de las mismas es aumentar la exportación del sector, mediante la creación de una imagen de la moda española.

Para este sector existen tres mercados fundamentales: Europa, EEUU y Japón. Por ello, dentro de las acciones de promoción del INFE se encuentran:

— Apertura de un centro de promoción de la moda en N. York.
— Apertura de un centro de promoción de bienes de consumo en Düsseldorf.
— Contratación de un experto en moda para la oficina española en Tokio.

La función básica de estos expertos será proporcionar al exportador español información sobre aspectos legislativos, reglamentarios y comerciales; tendencias de consumo y organización de actividades de promoción, etc., así como información al importador sobre todo lo concerniente a la oferta española. Por otra parte, debido a las especiales características del mercado japonés y a sus grandes posibilidades, tanto por el elevado número de consumidores (117 millones) y el alto poder adquisitivo de los mismos (aproximadamente, 10.000 dólares de renta *per capita*) como por ser el país que dedica un mayor porcentaje de ésta a la compra de vestuario, el INFE organiza anualmente, durante la última semana de febrero, una gran exposición de la moda española. En ella participan, aproximadamente, 60 empresas, ascendiendo el coste total de dicha acción a 40 millones de pesetas.

INFE, *passim.*

3. A) El siguiente artículo está completo, pero los párrafos del mismo no están en el orden correcto. A) El alumno tendrá que colocarlos en orden, y B) a continuación terminar las frases que se le indican.

El aceite de oliva: un lujo culinario

a) Y es precisamente desde España desde donde se hace llegar el olivo al continente americano, como lo refleja el hecho de que en 1560 fuera llevado a México por Antonio Ribero. Dos siglos después, fray Junípero Serra y José de Gálvez lo introducen en el Estado de California.

b) España es el primer exportador mundial con una media de 95.000 toneladas anuales.

c) En la actualidad, son muchas las marcas españolas que se sitúan en las estanterías de los mayores y mejores supermercados del mundo, tras pasar por excepcionales controles de calidad de las autoridades españolas, aunque ello no impide que se siga exportando *granelado* a países que, posteriormente, lo envasan y destinan a mercados de exportación.

d) Junto con la palmera datilera, la vid, la higuera y el granado, el olivo es una de las primeras plantas cultivadas de las que se tiene noticia a lo largo de la historia mediterránea. Su nombre, y su producto, el aceite, han marcado de alguna manera la cultura de una civilización que tuvo sus orígenes en las riberas del Mediterráneo desde que éste se convirtiera en mar.

e) En total, España produce cerca de 500.000 toneladas anuales de aceite de oliva, de las que, tradicionalmente, cerca de 100.000 van dirigidas a los mercados internacionales. Mercados en los que cada vez se tiene una mayor presencia activa a través de determinadas marcas de prestigio, que permiten remontar la tendencia exportadora *a granel,* que ha sido una constante en el sector del aceite de oliva español.

f) En España, por ejemplo, existen pruebas de su existencia remota, como lo demuestran los huesos de aceituna hallados en la estación del Neolítico de El Garcel y, desde entonces, ha supuesto no sólo para España, sino para una parte importante de Occidente, un símbolo y un aditamento utilizado en muy diversas y variadas ocasiones, ya fuesen culinarias, médicas, simbólicas, etc.

g) La producción española de aceite de oliva, al frente de los productores mundiales, está encabezada por Jaén, con más de 40.000 hectáreas de olivos, de donde salen 136 millones de kilos de aceitunas. En menor cantidad se sitúan las provincias de Córdoba, Sevilla, Granada y Málaga, de donde se exportan miles de litros del dorado elemento, de gran predicamento en los mercados internacionales.

Ronda Iberia, julio 1984.

Granelado: a granel, sin envase.

3. B) Rellene los espacios marcados con puntos suspensivos.

a) España produce una media de .... toneladas anuales.

b) De las cuales, cerca de .... van destinadas a la exportación.

c) Exportar el aceite a .... ha sido una tradición en el sector.

d) El olivo fue introducido en California por .... en el siglo ....

e) Las primeras plantas cultivadas en los países mediterráneos son ...

f) Jaén es la provincia española que .... seguida por Córdoba, Sevilla, Granada y Málaga.

g) En .... , estación del Neolítico, se encontraron ....

h) El aceite de oliva ha sido para Occidente ....

i) En los mejores supermercados del mundo se pueden encontrar ....

j) Un elemento dorado, con gran predicamento en los mercados internacionales, es el ....

4) Buscando trabajo: elija uno de estos anuncios de trabajo, dé las razones de su elección (preparación con la que cuenta, trabajo interesante, remuneración económica, otras ventajas) y, a continuación, escriba una carta solicitando dicho empleo.

EMPRESA DE SERVICIOS
LÍDER EN SU SECTOR
CON 1.300 EMPLEADOS Y 50 OFICINAS

PRECISA

TITULADOS SUPERIORES

PARA OCUPAR PUESTOS TÉCNICO-ADMINISTRATIVOS

SE REQUIERE:
- ☆ Titulación preferente en Derecho y Económicas.
- ☆ Servicio militar cumplido.
- ☆ Carnet de conducir.
- ☆ Disposición para residir en cualquier capital de provincia.
- ☆ No es necesaria experiencia.

SE OFRECE:
- ☆ Formación a cargo de la empresa.
- ☆ Posibilidades reales de promoción.
- ☆ Ingresos adecuados al puesto que se desempeñe.

Se garantiza absoluta reserva y contestación a todas las solicitudes.

Se ruega dirigir historial personal y profesional, escrito a mano, adjuntando fotografía de carnet reciente y teléfono de contacto, al Apartado **36.273** de Madrid, indicando en el sobre la referencia número **2.739.**

RÈPRESENTANTE
PARA CALZADO
DEPORTIVO

IMPORTANTE EMPRESA
DE CALZADO
DEPORTIVO

precisa:

REPRESENTANTE

Introducido en el ramo de calzado para cubrir las provincias de

TOLEDO, CIUDAD REAL, CUENCA, GUADALAJARA, SEGOVIA y ÁVILA

INCORPORACIÓN INMEDIATA

INTERESADOS
ESCRIBIR A:

PUBLICOM, S. A.
(Ref.: 717)

C/ Mateo Obrador, 1-1º
07011 Palma de Mallorca

Abstenerse personas no introducidas en el ramo del calzado

RHONE-POULENC FARMA, SAE

solicita

VENDEDORES

PARA VENTA A FARMACIAS

EN MÁLAGA, ASTURIAS Y BARCELONA

Se requiere:
- — Ser profesional de la venta o relaciones públicas.
- — Cultura media o superior y gran capacidad de expresión.
- — Seguridad en sí mismo y con deseos de realizarse profesionalmente.
- — Disposición para viajar. Dedicación absoluta.

Ofrecemos:
- — Integración inmediata en plantilla.
- — Preparación intensiva inicial y formación continuada.
- — Ingresos brutos para el primer año 2.200.000 Ptas. (Fijo + Incentivos), según valía y experiencia del candidato.
- — Dietas y Kilometraje.
- — Otras mejoras sociales.
- — Posibilidades reales de promoción.

Interesados dirigir correspondencia, adjuntando "curriculum vitae" manuscrito así como teléfono de contacto y fotografía reciente a: APARTADO DE CORREOS, nº 196. ALCORCÓN (MADRID).

MENAGE & CONFORT

Empresa mayorista, radicada en Zaragoza capital
necesita incorporar para su red comercial:

AGENTES COMERCIALES REPRESENTANTES

PARA MADRID, BARCELONA Y VALENCIA

SE OFRECE:
- Representación de productos internacionales con fuerte demanda.
- Apoyo publicitario.
- Alto porcentaje de comisión.

SE REQUIERE:
- Buen conocimiento de cualquiera de los sectores: Menaje de Hogar, Artículo de Regalo y Escritorio.
- Experiencia mínima de dos años en cualquiera de los sectores.
- Aportación de cartera de clientes.

Interesados, remitir *curriculum vitae* detallado, adjuntando fotografía, a: CESEA, Paseo de Fernando el Católico, 11, 1º, 50006 Zaragoza (a la atención del señor Romero). Fecha límite de recepción de ofertas: 14 de febrero de 1987.

AGENTE COMERCIAL COLEGIADO

Lo precisa importante empresa nacional del Sector Farmacéutico (Venta a Farmacia) para trabajar la plaza de Madrid y provincia. Catálogo extenso y muy introducido, con amplias posibilidades.

Interesados, escribir carta urgente manuscrita, especificando características personales y profesionales, a: CONSULTING. Calle Gutenberg, número 3, 5º F. 08224 TARRASA (Barcelona). Abstenerse empresas comercializadoras.

El País, octubre de 1985.

X. *El mundo del producto*

1. Producción agrícola

A) Unas estructuras que deben cambiar

Con 2.571.059 explotaciones agrarias, en su mayoría pequeñas y medianas empresas, la agricultura española se ha caracterizado de siempre por la escasa visión comercial de los agricultores.

Hoy más que nunca, esta situación hace muy difícil la competencia, e impide elevar el nivel de renta de la población campesina. Como consecuencia, la solución más al alcance de nuestra agricultura está en el cooperativismo como empresa de todos.

Ante las continuas innovaciones tecnológicas, así como la creciente mecanización del campo y la aparición de nuevos sistemas de cultivo, la agricultura hace de su actividad una empresa costosa y cada vez más sofisticada y competitiva. Ante esta situación, a la que difícilmente puede hacer frente al agricultor aislado y sin mentalidad empresarial, unido ello al hecho de que en la CEE el agricultor no cuenta para nada si no se une y moderniza, la política nacional agrícola va dirigida al fomento y apoyo de un asociacionismo agrario que le confiera el papel empresarial que necesita, para ver con claridad que no es lo mismo producir patatas que transformarlas o venderlas posteriormente como patatas fritas.

Abastecer satisfactoriamente, en precio y calidad, la demanda interior y exterior de alimentación, exige mejorar la *productividad* y competitividad de nuestras explotaciones agrarias.

Productividad: relación cuantitativa entre determinada producción y uno o varios factores de la misma.

Como argumenta Víctor Oliver, «el cooperativismo ha de ser un instrumento capaz de reforzar el papel económico y social de la explotación familiar, a través del cual la mayoría de la población campesina pueda beneficiarse de nuevas tecnologías u obtener un valor añadido adicional de sus productos mejorando su nivel de renta».

En otro orden de cosas, conviene recordar que el sector cooperativo es el único que ha creado nuevos puestos de trabajo en los últimos ocho años, pues mientras en la Comunidad Económica Europea el número de parados ha pasado en este espacio de tiempo de, aproximadamente, 2 millones a los 12,5 millones, los puestos de trabajo en *cooperativas* han aumentado considerablemente, desde 265.000 en 1976 a 770.000 que tiene en la actualidad.

Cooperativa: aquella sociedad que, sometiéndose a los principios y disposiciones de la Ley General de Cooperativas de Empresa en común, realiza cualquier actividad económico-social lícita para la mutua y equitativa ayuda entre sus miembros y al servicio de éstos y de la comunidad.

Mercaconsumo, n.º 18, extracto. Nov. de 1985.

Ejercicios

1) Responda las siguientes preguntas:

a) *¿Qué quiere decir el autor del artículo con el título «Unas estructuras que deben cambiar»?*
b) *¿Por qué se ha caracterizado la agricultura española?*
c) *¿Por qué es ahora cuando va a tener que competir?*
d) *¿Cuál es la posible solución a sus problemas?*
e) *Causas que exigen ese cambio.*
f) *¿Con qué dificultades se encuentra el agricultor?*
g) *¿Cuál es el argumento de V. Oliver?*
h) *¿Qué beneficios puede obtener el agricultor? ¿Mediante qué?*
i) *Otro punto favorable al cooperativismo.*

2) Con las palabras que figuran a continuación forme aquellas otras que tengan la misma raíz:

a) *estructura*
b) *agricultura*
c) *competir*
d) *sofisticada*
e) *asociacionismo*
f) *abastecer*
g) *cooperativo*
h) *satisfactoriamente*
i) *moderniza*
j) *mecanización*

DOS REGLAS DE LA ESTRATEGIA COMERCIAL

Negociación

Es regateo, comparación, plantear opciones y llegar a un acuerdo con la otra parte, que a su vez negocia, compara y opta.

«NO NEGOCIAR CON LA COMPETENCIA»

Competencia

Hace referencia a aquellos que acuden al mercado con parecido género que ofrecer. Es decir, un grupo de un lado del mercado que busca ser elegido por otro del otro lado del mercado, a expensas de sus colegas.

«NO COMPETIR CON SU MEJOR CLIENTE»

3) Opinión personal: Explique esas dos reglas de estrategia comercial.

B) Reconvertirse o exportar

Producción: creación de un bien o de un servicio adecuado para la satisfacción de una necesidad.

Excedente: que sobra.

La *producción* y comercialización del plátano es, con el turismo, una de las fuentes de riqueza más importantes de las Islas Canarias. 20.000 agricultores, independientes o agrupados en cooperativas y sociedades, se dedican a la producción de ese fruto tropical.

En estos momentos, hay *excedentes* casi permanentes, pero para el sector platanero existe una serie de soluciones que podría paliar la problemática actual. No son partidarios de la industrialización de excedentes para productos como harinas, mermeladas, frutos secos, pelets de pienso, etc. Aducen que este sistema ha sido exhaustivamente ensayado y estudiado y no brinda garantías de rentabilidad, es de difícil comercialización y tiene altos costos de recogida y procesamiento industrial.

Ante la propuesta administrativa de reconvertir el cultivo de plátano por producciones alternativas: aguacates, mangos, papayas, etc., el sector es reticente. «No sólo carece de la garantía de una red de comercialización, sino que el plan entraña un tiempo de espera de años sin producción.»

Teniendo en cuenta todos estos factores, los exportadores piensan que la solución más clara estaría en la apertura del mercado exterior. Pero para ello se requiere una libertad de negociar cantidades globales anuales —entre 30.000 y 35.000 toneladas— y envíos regulares de cierta cantidad, lo que hasta el momento resulta difícil. «Creemos —terminan diciendo productores y exportadores— que la exportación, primera categoría para Europa y segunda para Africa —aun a precios iniciales de coste más gastos, sin beneficio adicional—, va a permitir una presencia que haga posible la competencia exterior y evite el desastre de nuestros precios medios al agricultor, sin tener que apretar los del propio consumidor nacional.»

Mercaconsumo, n.º 12, extracto, abril de 1985.

Ejercicios

1) Exprese de distinta manera los conceptos que figuran a continuación:

a) *Es una de las fuentes de riqueza.*
b) *Es un fruto tropical.*
c) *Hay excedentes casi permanentes.*
d) *Podría paliar la problemática.*
e) *Aducen que este sistema no brinda garantías de...*
f) *El sector es reticente.*
g) *Entraña un tiempo de espera.*
h) *Sin tener que apretar los del consumidor nacional.*

2) Debate.

A la vista de lo que ha leído en los dos artículos precedentes, discuta con sus compañeros las posibilidades de la cooperativa, la solución de la reconversión de un sector o abrir mercados exportando.

C) Un futuro para el vino europeo

El vino ocupa un destacado lugar entre los productos del mercado común agrícola.

Durante mucho tiempo, en los diez países integrantes de la Comunidad Económica Europea se cultivó, y se bebía, cerca de la mitad del vino producido en todo el mundo. Hoy, con el reciente ingreso de España y Portugal, llevarán la etiqueta comunitaria casi los dos tercios de la totalidad de la cosecha mundial.

Por término medio, cada europeo bebe cerca de 49 litros de vino al año (dos veces menos que el consumo de leche). El consumo de vino varía mucho de un país a otro, en función de las tradiciones naturales, pero también de los impuestos estatales.

La producción anual media de vino en la Comunidad ha sido, entre 1972 y 1978, de unos 145 millones de hectolitros, repartidos aproximadamente de la siguiente manera:

Cerca del 48 % en Italia, 46 % en Francia, 6 % en Alemania, 0,1 % (un centenar de miles de hectolitros) en Luxemburgo.

Casi el 70 % son vinos corrientes (los llamados vinos de mesa); el 20 %, vinos de calidad provenientes de regiones determinadas (VQRPD), y el 10 % restante, otros vinos diversos.

Muy sensible a los cambios climáticos, el vino es una de las producciones cuyo volumen varía más de un año a otro. Las diferencias registradas alcanzan frecuentemente 40 millones de hectolitros, es decir, una cantidad casi igual al tercio de la producción media.

Ejercicio

1) Complete las frases siguientes con estos términos: *producción, consumo, consumo interior, cosecha, empleos, climáticos, impuestos, excedentes, hectolitros, VQRPD.*

   a) *La mitad del vino que se producía en el mundo hasta el año pasado se cultivaba y .... en la CEE.*
   b) *Con el ingreso de España y Portugal en la CEE dos tercios de la .... mundial de vino proceden de la Comunidad Europea.*
   c) *La tradición tiene influencia en el consumo de vino, así como también los .... estatales.*
   d) *Existen vinos de mesa, ... y otros más.*
   e) *La .... de vino varía de un año para otro, porque puede verse afectada por distintos factores, especialmente los cambios ....*

Consumo de vino por habitante en Europa en 1979 (en litros)

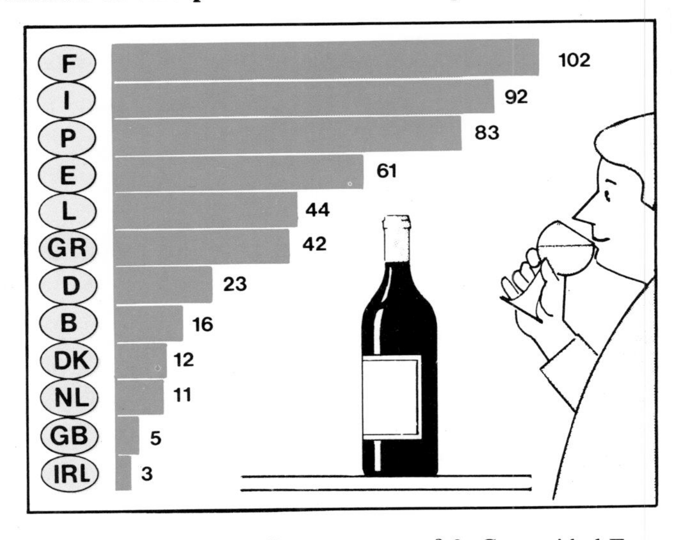

Documentos, n.º 9. Comunidad Europea.

2. Márketing

Definir el concepto de márketing es uno de los primeros problemas con el que nos podemos encontrar. Es evidente que el márketing requiere una nueva filosofía de empresa y una nueva forma de gestión.

La traducción de ese término americano por los vocablos castellanos mercadotecnia, mercadología, mercadeo o comercialización no se considera correcta, ya que resultan demasiado específicos. Un concepto nuevo requiere un vocablo nuevo, y por tal razón se ha estimado no traducir la palabra márketing y adaptarla al lenguaje comercial español, al igual que otras más, técnicas o científicas.

Podemos dar una serie de definiciones de dicho concepto: veámoslas.

La American Marketing Association (AMA) facilita una de las primeras en 1948, revisada posteriormente en 1960: «Marketing es la ejecución de ciertas actividades que dirigen el flujo de mercancías y productos del productor al consumidor o usuario.»

Esta definición tiene una omisión importante, la del *diseño* del producto. Si bien es cierto que la investigación científica pura no puede incluirse dentro del márketing, no lo es menos que toda investigación científica que no tienda a satisfacer necesidades nuevas o presentidas del consumidor carece de utilidad mercantil. Por lo tanto, es evidente que la investigación científica pura ha de ser disciplina obligada en los estudios de márketing.

Diseño: simple delineación con trazos de un edificio o una figura. Método de creación industrial que busca adaptar la forma de los objetos a la función que deben cumplir, dándoles a la vez belleza plástica que les haga agradables.

El Club de Dirigentes de Ventas y Márketing de Barcelona dice que el márketing es: «El conjunto de esfuerzos, estudios y técnicas que, partiendo de un mejor conocimiento de las necesidades y satisfacciones del consumidor, promueve la creación de un producto y su distribución, obteniendo una rentabilidad económica.»

Quizá la definición más completa de márketing sea ésta: «Es el conjunto de medios puestos en marcha para aportar al consumidor o usuario, a través de los canales de distribución adecuados y con ayuda de la venta activa, promoción de ventas y *publicidad,* el producto o servicio que por su naturaleza, presentación y precio responda mejor a sus necesidades.» Así pues, las funciones del márketing son:

Publicidad: conjunto de actividades dirigidas a promover las ventas de una empresa, a ampliar o crear la necesidad de un producto y a mantener o perfeccionar la imagen de una empresa en el ámbito del consumidor.

— investigación comercial;
— planificación comercial;
— organización de ventas;
— distribución material o física.

Y sus objetivos:

— labor de reconocimiento;
— estrategia comercial;
— táctica comercial;
— servicio comercial.

Gestión de márketing en la Empresa Comercial, IRESCO.

Ejercicios

1) Conteste por escrito las siguientes preguntas:

a) *¿Cuál es el primer problema que nos plantea el márketing?*

b) *¿Por qué?*

c) *¿Por qué rechazar las posibles traducciones de la palabra en español?*

d) *¿De qué carece la primera definición?*

e) *Personalmente, ¿cuál elegiría usted? ¿Por qué?*

f) *¿Existiría el márketing sin el consumidor? ¿Por qué?*

g) *Dé una explicación personal de las cuatro funciones del márketing.*

h) *De acuerdo con los objetivos correspondientes a las cuatro funciones del márketing, explique:*

— *¿reconocimiento de qué?*

— *¿qué es una estrategia comercial?*

— *¿y una táctica?*

— *¿para qué sirve un servicio comercial?*

2) A continuación, le presentamos un cuadro sinóptico con los factores que influyen en el consumidor como determinantes básicos de la demanda; desarróllelo por escrito, de manera que le permita hacer una exposición en clase sobre el tema.

Factores sociológicos (necesidades y deseos)
- *incremento de la población*
- *incremento de la proporción de matrimonios*
- *incremento de la proporción de nacimientos*
- *nuevas filosofías de la vida*
- *innovación*
- *moda*
- *tiempo libre*

Factores psicológicos (deseos de comprar)
- *nuevas filosofías de la vida*
- *innovación*
- *moda*
- *confianza en el futuro*

Factores económicos (capacidad de comprar)
- *innovación*
- *tiempo libre*
- *aumento de los ingresos*
- *redistribución de las rentas*
- *crecimiento de la productividad*

3) Usted está interesado en participar en un seminario que se va a celebrar sobre «Introducción al marketing»; ésta es la carta que usted ha de enviar al grupo organizador, solicitando mayor información sobre el mismo:

Madrid, 28 de mayo de 1985

CEOE
Departamento de Formación
Alcántara, 20
28006 Madrid

Muy Sres. míos:

Desearía recibir información sobre el seminario de introducción al márketing que la CEPYME (Confederación Española de la Pequeña y Mediana Empresa) va a celebrar en Madrid los días 18, 19 y 20 del mes próximo.

Igualmente, les agradecería que me comunicasen el lugar de celebración, horario y cuota de participación en el mismo, y que me remitiesen un boletín de inscripción.

Sin otro particular, les saludo atentamente.

Fdo.:

Ahora, escriba la carta de contestación a la suya, utilizando la información que se incluye aquí.

SEMINARIO
de
INTRODUCCION AL MARKETING
Madrid, 18, 19 y 20 de junio de 1985

INFORMACION GENERAL

— Lugar de celebración: Departamento de Formación de la CEOE. C/ Alcántara, 20. Madrid.
— Fecha: 18-19 y 20 de junio de 1985.
— Horario: De 17,00 h. a 20,00 h.
— Documentación: Se entregará a los asistentes documentación relacionada con los temas que se expongan.
— Cuota de participación: 10.000 ptas.
— Reserva de plaza: Enviando el Boletín de Inscripción al Departamento de Formación de la CEOE. C/Alcántara, n.º 20. 28006 Madrid. Teléfono: 431 22 92.

BOLETIN DE INSCRIPCION

Sr. D. ....
Organización ....
Empresa ....
Cargo ....
Dirección ....
Teléfono ....Código ....Ciudad.................
Efectúa el ingreso de la cuota por:
☐ Talón nominativo a la CEOE.
☐ Transferencia a la c/c. núm. 11.775/271 del Banco Español de Crédito. C/ Diego de León, 54. 28006 Madrid

3. Distribución

Distribución: conjunto de las operaciones dirigidas a colocar los productos al alcance de los consumidores.

A) Canales de distribución

Desde un punto de vista general, este término representa el conjunto de actividades necesarias para hacer llegar los productos desde los fabricantes a los consumidores, sin que aquéllos experimenten ninguna transformación importante en su recorrido. En un sentido más específico, la distribución representa una de las principales subfunciones o actividades del márketing en la empresa, que se ocupa de los canales de distribución y de la organización de la distribución física.

Cuando en un producto se introduce alguna modificación sustancial en el curso de su recorrido —por parte de alguno de los participantes en los canales de distribución—, se obtiene un producto distinto y, en consecuencia, termina en este punto su canal de distribución, comenzando también, ahí mismo, otro canal diferente. Los canales de distribución están, por tanto, constituidos por fabricantes, intermediarios y consumidores.

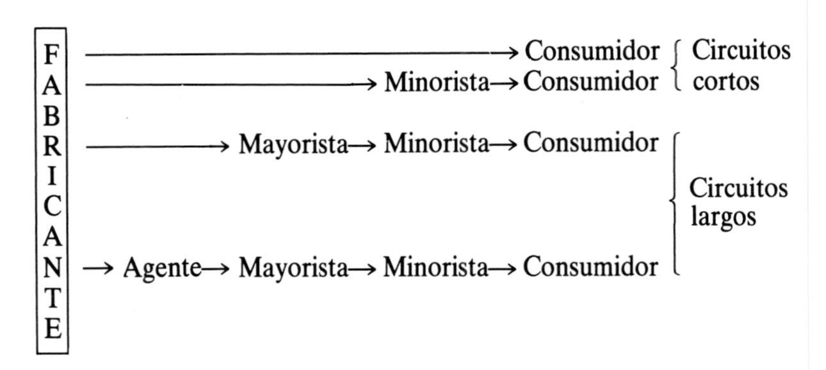

Tipos de canales de distribución

Intermediario: se aplica a los comerciantes por los que pasan las mercancías para llegar del productor al consumidor.

Los canales de distribución se pueden dividir en dos tipos: canales cortos y canales largos. Los primeros son aquellos circuitos de distribución en los que los productos van directamente del productor al minorista o al consumidor, por lo que, como máximo, sólo existe un agente *intermediario.* Los segundos son circuitos de distribución en los que existen dos o más agentes intermediarios entre el fabricante y el consumidor. Los canales cortos, principalmente el de fabricante-usuario final, suele ser el circuito preferentemente empleado por las empresas de productos industriales, mientras que para los productos de consumo duradero suele ser el circuito fabricante-minorista-consumidor el más corriente. En el caso de los productos de consumo inmediato, suele presentarse, principalmente, el circuito largo, es decir, fabricante-mayorista-minorista-consumidor.

Ejercicios

1) Termine las frases siguientes:

   a) *El conjunto de actividades que permite que lleguen los productos al consumidor se llama ....*

   b) *En realidad, la .... es una subfunción del márketing de una empresa.*

   c) *Cuando el producto sufre alguna modificación en el transcurso del recorrido ....*

   d) *Los fabricantes, junto con los .... y los ...., constituyen los ....*

   e) *Existen circuitos .... y ....*

   f) *Los primeros se crean ....*

   g) *Los largos aparecen ....*

   h) *Así pues, un intermediario es.........*

   i) *El circuito normalmente empleado por los productos industriales es el ....*

2) A continuación encontrará un esquema de los principales canales de distribución internacional. Explique en qué consisten éstos, así como cuáles son las etapas por las que pasa el producto en su camino desde el fabricante hasta el consumidor.

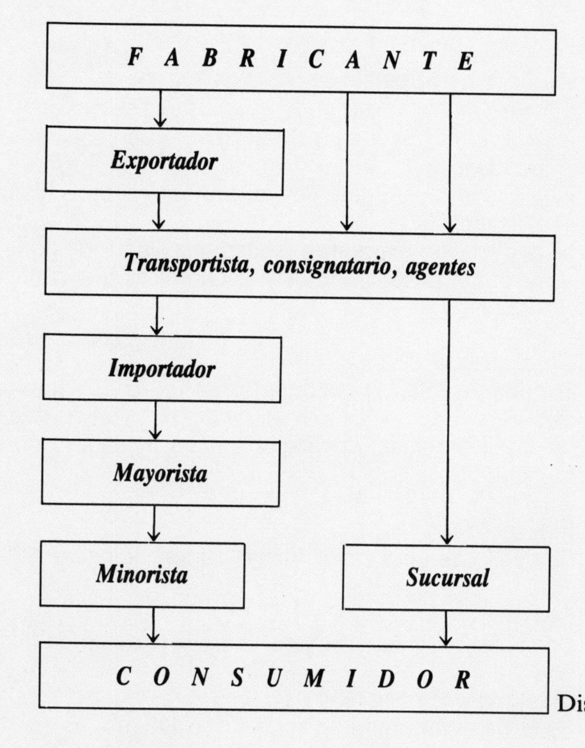

Vademécum de la Distribución Comercial. IRESCO.

3) Defina, utilizando un pronombre relativo, los términos siguientes:

   a) *etapa*
   b) *fabricante*
   c) *consumidor*
   d) *agente*
   e) *transportista*
   f) *sucursal*
   g) *consignatario*
   h) *exportador*
   i) *importador*
   j) *producto de consumo inmediato*

Mayorista

Intermediario que se dedica a la venta de productos al por mayor, generalmente a los minoristas. En ocasiones se le denomina también almacenista o distribuidor.

Minorista

Intermediario que se dedica a la venta de productos al por menor, destinados principalmente a los consumidores finales. También se le conoce como **detallista.**

B) Clasificación de los minoristas

Hiper, Super, Mini... y el resto

Los tipos de comercio se reparten según:

— su método de venta: tradicional, libre servicio, automático, por correspondencia;
— el tamaño del punto de venta: mini - super - hipermercado - grandes almacenes;
— la situación geográfica: sedentaria - no sedentaria;
— la organización jurídica y económica: independientes, asociados, integrados.

Libre servicio
Surgido en 1948, ha cobrado un auge considerable en Europa. La definición incluye todas las formas de distribución en que el cliente accede libremente al producto. Los super e hipermercados son establecimientos de libre servicio.

Hipermercado
Comercio de libre servicio cuya superficie de venta es superior a 2.500 m^2.

Supermercado
Comercio cuya superficie de venta está comprendida entre 400 y 2.500 m^2.

Supermercado pequeño
Superficie comprendida entre 120 y 400 m^2.

Mini libre servicio
Superficie inferior a 120 m^2.

Gran almacén
Punto de venta superior o igual a 2.500 m^2 y que ofrece una amplia gama de mercancías en diferentes secciones.

Almacén popular
Establecimiento de 400 m^2 al menos de superficie de venta, que vende productos alimenticios y otros básicos, según la fórmula de libre servicio, pero en secciones no necesariamente independientes.

Comercio asociado
Reúne a las cooperativas y cadenas voluntarias.

Comercio integrado
Bajo la denominación de comercio integrado se agrupan grandes almacenes, almacenes populares, cooperativas de consumo y sucursalismo.

Comercio especializado
Comprende todas las grandes unidades o grupos de venta especializados en un campo preciso y limitado: deportes, vestido, bricolage, etc.

Comunidad Europea, mayo 1984.

1. Por la dimensión de su establecimiento:
   - pequeños
   - medianos
   - grandes

2. Por su situación geográfica:
   - urbanos
   - rurales

3. Por sus métodos de venta:
   - tradicional
   - autoservicio
   - a domicilio
   - en reuniones
   - en camiones
   - por correspondencia
   - automática
   - por teléfono
   - por ordenador

4. Por el tipo de la propiedad:
   - comercio independiente
   - comercio asociado: cooperativas de detallistas, cadenas voluntarias, cadenas con franquicia
   - comercio integrado
   - cadenas sucursalistas
   - *economatos*

Economato: establecimiento para la venta de ciertos productos en forma de cooperativa, de la que se beneficia un determinado cuerpo o grupo de personas, debido a la reducción de los precios.

5. Por el tipo de establecimiento:
   - grandes almacenes
   - almacenes populares
   - tiendas de descuento
   - drugstores
   - centros comerciales
   - autoservicios
   - supermercados
   - hipermercados

Ejercicios

1) Dé una explicación oral del apartado que elija.

2) ¿Podría decir cuál es la diferencia entre hipermercado, supermercado y autoservicio?

3) Un dato muy reciente, elaborado por la Cámara de Comercio e Industria de Madrid, ratifica el progresivo cierre de tiendas de alimentación, comprobándose que en el período 1975-1979 desapareció el 25 % de las tiendas de ultramarinos de la capital.
Respecto a las bajas de *licencias* comerciales habidas en España, el orden de importancia, según la clase de establecimiento, es: alimentación, metal, textil, papelería y madera. En este sentido, se espera una gran «mortandad» de los primeros favorecida por las cinco causas más comunes: falta de rentabilidad, competencia de nuevas formas comerciales, carencia de sucesión, imposibilidad de adaptarse a los deseos de los consumidores y *presión fiscal.* Consiga documentación (informes, datos, etc.) sobre esta situación en su propio país y en otros países, y prepare una redacción (250 palabras) sobre «Mortandad comercial».

C) ¿Qué es el *código de barras*?

El código EAN (International Article Numbering Association), en su versión general, se compone de 13 caracteres jerarquizados, representados, a su vez, por una serie de barras paralelas, claras y oscuras, de diferente anchura. Los números que aparecen constituyen el código, y las barras su símbolo. La simbolización del código se realiza para que pueda ser leído automáticamente por la caja de salida a través del *scanner* o lápiz lector.

De los 13 caracteres que componen el código, los dos primeros corresponden y designan el país del que procede el producto. Este número, denominado FLAG, es asignado por la Asociación Europea de Codificación a su asociación correspondiente en cada lugar. La Asociación Española de Codificación Comercial *(AECOC)* tiene asignado el número 84, lo cual quiere decir que todo producto nacional codificado lo tendrá como cifra inicial. Las cinco cifras siguientes, que son asignadas por la autoridad nacional de codificación de cada país, sirven para identificar al industrial. Las cinco siguientes son las que dispone el industrial para la identificación de cada uno de sus productos. El último carácter es de control, y se calcula mediante una regla matemática, de forma que se elimina cualquier error de lectura.

Aunque el código de 13 dígitos es el más comúnmente utilizado, se ha establecido otro de ocho para aquellos productos de tamaño pequeño. De las ocho posiciones de que dispone este código, dos designan el país de origen, cinco identifican al industrial y al producto y la última es utilizada como cifra de control.

Entre las ventajas de la codificación comercial se cuentan:

— Reducción de los costes de personal:
  - suprime el marcado de precios;
  - requiere menor número de cajeros;
  - facilita un tránsito más rápido en caja.

— Disminución de la «pérdida desconocida» por errores de marcaje, etcétera.
— Simbolización común entre industriales y distribuidores.
— Conocimiento exacto del *stock,* por control rápido del inventario.
— Planificación financiera más exacta.
— Mejora de la programación de ventas, promoción, gestión, pedidos y *stocks.*
— Proporciona comprobantes de caja con nombre y precio de los artículos adquiridos.

Ejercicios

1) Diga todas las palabras que conozca con la misma raíz que:

a) *código*
b) *amplitud*
c) *lector*
d) *carácter*
e) *pequeño*
f) *caja*
g) *simbolización*
h) *precio*

2) Explique qué es:

a) *el código EAN*
b) *unas barras*
c) *FLAG*
d) stock
e) scanner
f) *dígito*
g) *tránsito rápido*
h) *error de marcaje*
i) *control de inventario*
j) *comprobante de caja*

4. Publicidad

A) Medios publicitarios

Es la denominación empleada para designar los diferentes canales de comunicación masiva utilizados para transmitir los mensajes publicitarios.

Medios	Soportes	Formas
Prensa	Los distintos diarios existentes. Revistas. Prensa gratuita.	Comunicados. Anuncios comerciales o de marcas. Clasificados (por palabras y esquelas). Reclamos (selección de personal, cursos, etc.)
Radio	Las emisoras existentes.	Monografías. Cuñas. Programas.
Televisión	La emisora existente.	*Spots.* Programas. Publirreportajes.
Cine	Los locales existentes y los locales que ocasionalmente se habiliten.	Películas. Diapositivas fijas. Filmlets.
Exterior	Vallas. Cabinas telefónicas. Marquesinas. Transportes públicos. Metro. Aérea.	Textos. Fotografías y dibujos. Textos y fotografías. Luminosos.
Directa	Cartas. Catálogos. Folletos. Llamada telefónica.	Dirigida al domicilio de las personas. Dirigida al lugar de trabajo de las personas.

Ejercicios

1) Debate: ¿Cuál de los medios publicitarios le parece más eficaz y por qué?

2) Le han encargado una campaña de publicidad para lanzar un nuevo producto al mercado. Diseñe un esquema de los puntos principales donde realizarla y la estrategia que ha de seguir.

3) «Una imagen vale más que mil palabras». Confirme o refute esta frase en una breve redacción.

B) Redacción del mensaje publicitario

Antes de escribir una sola palabra del mensaje, es necesario decidir sobre tres cuestiones:

— por qué se va a escribir el mensaje;
— de qué va a tratar el mensaje;
— a quién va dirigido.

El primer punto suele estar bastante claro para el comerciante. Sin embargo, lo que más dificultad puede entrañar es a quién va dirigido; esto lo debe deducir el publicista o el comerciante por el tipo de establecimiento, motivo del anuncio o clase de producto. De ello dependerá el léxico, contenido y orientación del mensaje.

En líneas generales, el léxico que hay que emplear ha de ser, ante todo, sencillo, por lo que deben utilizar términos

- concretos;
- no técnicos;
- familiares;
- breves;
- originales;
- expresivos;
- personales;
- de sentido común;
- exactos.

Las frases han de ser:

— De mediana longitud, pero nunca tan largas que el cliente no termine de leerlas.
— Claras.
— Vigorosas, con frecuentes admiraciones, sobre todo a su principio y al final, para dar más fuerza al texto.
— Incitadoras, aunque no conviene que la incitación sea explícita.
— Naturales, sin excesivas sofisticaciones.
— Variadas.

El cliente sólo se sensibiliza y hace caso de los mensajes escuetos, así que, además de ser cortos, claros y completos, deben responder a los motivos de compra del cliente potencial. Para ello, habrán de tener en cuenta tales motivos, entre los que se distinguen:

— El gusto por la propiedad. Se desea poseer. «Este coche puede ser suyo...»
— El amor propio y el afán de figurar. «Todos le envidiarán...»
— El deseo de novedad. «Vaya a la última...»
— La previsión. «Prepárese ya para el invierno...»
— El cuidado de la salud. «Manténgase sano con...»
— La preocupación por la juventud. «Diga adiós a las arrugas...»
— La emulación. «El jabón de las estrellas de cine...»
— El confort, la comodidad, el bienestar. «Siéntase como en casa...»

Y por último, habrá que tener en cuenta que el mensaje va dirigido a una segunda persona; por tanto, hay que personalizar el mensaje hablando de tú o usted y empleando el imperativo.

Ejercicios

1) Responda las siguientes preguntas:

   a) *Diga las tres cuestiones que hay que decidir en primer lugar.*
   b) *¿Por qué puede resultar difícil el receptor del mensaje?*
   c) *¿De qué dependerá el léxico empleado?*
   d) *Según usted, ¿deben emplearse palabras técnicas?*
   e) *¿Por qué utilizar el imperativo o los signos de admiración?*
   f) *Si la incitación no es explícita, ¿cómo ha de ser? ¿Por qué?*
   g) *¿Qué motivos de compra recuerda?*

2) A continuación leerá una serie de anuncios de distintos productos; explique qué motivo de compra utiliza cada uno como estímulo.

   — *«Prepárate, barba» (una crema de afeitar).*
   — *«Este envase no es una lata» (aceite de automóvil).*
   — *«Agua de Escocia» (whisky).*
   — *«Ud. se merece un diez [pulgadas]» (televisor).*
   — *«Hay horas deportivas» (un reloj).*
   — *«Esforzándonos día a día, hasta llegar a su altura» (Iberia, líneas aéreas).*
   — *«Tan sana como un yogur. Tan rica como una papilla» (producto de alimentación infantil).*
   — *«Es vino de pueblo» (un vino).*

3) Cada alumno recorta varios anuncios de prensa y los comenta en clase.

4) Elija un nombre sugestivo y un mensaje publicitario para los siguientes productos:

   - *un perfume femenino*
   - *un perfume masculino*
   - *un juguete*
   - *un producto de dietética*
   - *un nuevo periódico*
   - *una tienda de modas*
   - *un partido político*
   - *un automóvil*

5. Protección de un producto

A) Registro de la Propiedad Industrial

Es un organismo autónomo adscrito al Ministerio de Industria creado por la Ley 17/1975, de 2 de mayo (BOE de 5 de mayo 1975). «El destino de la propiedad industrial va íntimamente ligado al de la industria y, en definitiva, al del desarrollo económico de un país, ya que las invenciones industriales de un país determinan su grado de desarrollo tecnológico, y los signos distintivos del comerciante o industrial coadyuvan fundamentalmente al objetivo final de toda actividad industrial, cual es la comercialización de los productos.»

Es una entidad de Derecho Público, con personalidad jurídica y autonomía económica y administrativa. Los principales fines y funciones que realiza son:

Reconocimiento y mantenimiento de la protección registral a las diversas manifestaciones de la propiedad industrial (invenciones, creaciones de forma y signos distintivos).

Difundir de forma periódica la información tecnológica objeto de registro.

Aplicar, dentro de su competencia, los convenios internacionales en materia de propiedad industrial.

Promover iniciativas y desarrollar actividades para un mejor conocimiento y adecuada protección de la propiedad industrial.

Informar sobre los proyectos de ley y demás disposiciones que hayan de dictarse en materia de propiedad industrial.

Para cumplir estos fines y funciones, el Registro de la Propiedad Industrial cuenta con los siguientes departamentos: Departamento de Patentes y Modelos, de Signos Distintivos, de Información Tecnológica y de Estudios y Relaciones Internacionales.

PATENTE

Certificado que otorgan los Estados de los diferentes países, por el cual se reconoce el derecho para emplear y utilizar exclusivamente una invención de la industria y dar al comercio o poner en venta los objetos procedentes de esa invención.
Las patentes son de dos tipos: patente de invención, que es la que confiere a los concesionarios el derecho exclusivo de fabricar, ejecutar, producir, vender o utilizar el objeto de la patente como explotación industrial; y patente de introducción, que otorga a los concesionarios el derecho de fabricar, ejecutar, producir o vender lo fabricado en el país, pero no les da derecho a impedir que otros introduzcan objetos similares del extranjero.

MARCA

Es un nombre, término o diseño, o una combinación de ellos, que trata de identificar los productos o servicios de un vendedor o grupo de vendedores y diferenciarlos de los competidores.
Dentro de la marca suelen distinguirse: el nombre de la marca y el logotipo de la misma. El nombre de la marca está representado por la parte fonética de la misma, es decir, por las letras y números que contenga. El logotipo de la marca está formado por aquellos dibujos, colores o representaciones que no tienen pronunciación.

SIGNOS DISTINTIVOS

Denominación empleada para distinguir aquellos signos utilizados en el comercio o en la industria y diferenciar de las manifestaciones o actividades homólogas de los demás, las propias actividades, servicios, productos o establecimientos. Se reconocen tres tipos: Marcas de fábrica, comercio y servicio; nombres comerciales y rótulos de establecimientos.

Madrid en alza.

Ejercicios

1) Conteste las siguientes preguntas:

   a) *¿De qué manera se puede defender un producto?*
   b) *¿Qué es el Registro de la Propiedad Industrial?*
   c) *¿Cuáles son sus funciones?*
   d) *¿Por qué debe informar acerca de las novedades tecnológicas?*
   e) *¿Qué es una patente?*
   f) *¿En qué se diferencia la patente de invención de la de introducción?*
   g) *¿Qué es una marca?*
   h) *¿Qué es el nombre y qué es el logotipo de una marca?*
   i) *¿Qué es un signo distintivo y para qué sirve?*

2) Diga de otra manera:

   a) *registro*
   b) *patente*
   c) *explotación*
   d) *convenio internacional*
   e) *promover iniciativas*
   f) *marca*
   g) *marca de fábrica*
   h) *logotipo*
   i) *rótulo de establecimiento*
   j) *extranjero*

Tipología de las marcas

Criterio	Denominación	Características
	Marca denominativa.	Constituida solamente por un nombre o sigla numérica.
	Marca gráfica.	La que está formada por un dibujo determinado.
	Marca combinada.	La configurada por un nombre o sigla y un dibujo.
Según su estructura.	Marca envase (tridimensional).	Aquella que tiene la forma característica de un determinado recipiente u objeto.
	Marca *slogan*.	Formada por una frase o *slogan* publicitario. Normalmente se utiliza con la marca de la empresa.
	Marca derivada.	Se obtiene utilizando el nombre o distintivo de otra, variando alguno de los elementos de la marca inicial.

Criterio	Denominación	Característica
Según el alcance de su uso.	Marca individual.	Solamente puede ser utilizada por una determinada persona u entidad.
	Marca colectiva.	Puede ser utilizada por diferentes personas o entidades, cuando sus actividades o productos tienen unas características comunes.
Según la actividad de su aplicación.	Marca de fábrica.	Utilizada por el fabricante de un determinado producto.
	Marca comercial.	Utilizada por un determinado intermediario.
	Marca de servicios.	Utilizada en los servicios.

IRESCO

REGISTRO DE LA PROPIEDAD INDUSTRIAL
Panamá, 1 — Teléf. 458 22 00 — 28036 MADRID

BUSQUEDA DE ANTECEDENTES REGISTRALES DE SIGNOS DISTINTIVOS
(Epígrafe 12. - O.M. 21-8-80)

Nombre .... Fecha ....

Domicilio .... D.P. ....

Ciudad .... Teléf. ....

☐ IDENTIDADES (Para todas las clases y modalidades)

☐ PARECIDOS (Para las clases y modalidades) (1) y (2)

GRAFICO

DENOMINACION:

(1) **CLASES PARA LAS QUE SE SOLICITA:**

(2) **MODALIDADES DE PROPIEDAD INDUSTRIAL PARA LAS QUE SE SOLICITA:**

☐ Marcas ☐ Nombres Comerciales ☐ Rótulos de Establecimiento

LIQUIDACION ....

FIRMA PETICIONARIO. RECIBI: PETICIONARIO. CONFORME CAJA

Ejercicio

— Recoja diez anuncios y clasifique y analice sus elementos (marca, logotipo, sugerencias del mensaje publicitario, etc.).

B) Denominación de origen

Es la expresión que se utiliza para designar un nombre geográfico en una marca como lugar de fabricación, elaboración o extracción de un producto. Cuando la denominación de origen está registrada constituye una marca colectiva, aunque no siempre toda marca colectiva es una denominación de origen.

El organismo encargado de coordinar el funcionamiento de todas las denominaciones de origen es el *INDO* (Instituto Nacional de Denominaciones de Origen), si bien recientemente las comunidades autónomas han asumido importantes competencias en esta materia.

Los productores y elaboradores de una zona determinada, a través de sus organizaciones profesionales, pueden solicitar la denominación de origen ante la Administración con un informe en el que se describan las cualidades y características del producto, materia prima utilizada, estructura de las empresas, proceso de fabricación, etc. Si los estudios técnicos dan resultados positivos, se reconoce administrativamente la denominación de origen con carácter provisional.

Un producto amparado por una denominación queda absolutamente garantizado, de manera que el consumidor, al adquirirlo, estará seguro de que procede del entorno geográfico que le dio fama.

Los primeros productos acogidos y amparados por las denominaciones de origen fueron los vinos; sin embargo, este título de prestigio y calidad absolutos ha ido ampliando con los años su campo a otros productos agrarios no menos tradicionales y conocidos, como son el queso y el jamón. Por el Decreto 3.711/1974, se amplió por primera vez el ámbito de aplicación de las denominaciones de origen. En los quesos españoles se han dado condiciones suficientes como para que muchos de ellos puedan ser protegidos con la garantía de una denominación de origen. Las condiciones ecológicas, el tipo de ganado y la amplia variedad de materias primas para la elaboración quesera hacen de España un gran abanico en el que existen más de 400 variedades de queso, al tiempo que son conocidos más de 1.000 denominaciones diferentes.

De toda la múltiple variedad de quesos españoles, sólo un número limitado es conocido por el público consumidor. Entre ellos destacan por su prestigio y garantía de calidad los acogidos a las denominaciones de origen Roncal, Mahón, Manchego y Cabrales.

Resumen de *Mercaconsumo,* n.º 18, noviembre 1985.

Ejercicios

1) Responda las preguntas que aparecen a continuación:

   a) *¿Qué es la denominación de origen?*
   b) *¿Por qué se llama así?*
   c) *¿Por qué es una marca colectiva?*
   d) *¿Cómo se obtiene?*
   e) *¿Qué producto fue el primero en acogerse a la denominación de origen?*
   f) *¿Qué otros productos lo han hecho?*
   g) *¿Qué factores se dan en España para que existan tantas variedades de queso?*
   h) *¿Podría decir dónde están el valle del Roncal, La Mancha, Mahón y Cabrales?*

2) ¿De qué otra manera se podrían decir las siguientes expresiones?

   a) *asumir competencias*
   b) *consolidación definitiva*
   c) *estructura de la empresa*
   d) *dar resultados positivos*
   e) *estar ligado*
   f) *entorno geográfico*
   g) *con los años*
   h) *a raíz de 1974*
   i) *hacen de España un gran abanico*
   j) *condiciones ecológicas*

3) A continuación encontrará una lectura sobre denominaciones de origen de jamones y vinos, pero los párrafos han sufrido una alteración en su orden. Primero deberá separar aquellos correspondientes a vinos de los que se refieren a jamones, poniéndolos a continuación en orden para poder hacer un resumen por escrito u oral de todo este capítulo de denominación de origen. Amplíelo luego con un informe sobre algunos productos con denominación de origen de su país.

   a) *En 1933 se establece la primera denominación, la de Jerez, a la que siguieron Málaga, Montilla-Moriles, La Rioja, Tarragona, Valdeorras, Ribeiro, etc.*
   b) *Básicamente, la elaboración del jamón consiste en un proceso de transformación del pernil. Las fases por las que debe pasar son, en primer lugar, la de curación, precisa para la perfecta conservación del producto; posteriormente, la de maduración, durante cuyo desarrollo el jamón adquiere todas las características de aroma y sabor. En la curación se incluye el salazón, lavado y secado.*
   c) *La importancia y el protagonismo del cerdo en la cultura gastronómica de la España agraria es un hecho desde hace muchos años. Sin embargo, entre todas las especies, es precisamente la del cerdo ibérico la que se lleva la palma, al tratarse de una raza perfectamente adaptada que proporciona, desde tiempo inmemorial, materia prima de calidad para la elaboración del jamón.*
   d) *El amplio abanico de regiones vitivinícolas españolas se ha venido forjando desde hace siglos. Ya en el* XIII *aparecen los primeros antecedentes históricos con relación a las normas reguladoras, en determinadas comarcas, sobre época de vendimia, prohibición de entrada de vinos foráneos, etc. También en los siglos* XVI *y* XVII *se establecieron delimitaciones precisas de comarcas vitícolas.*
   e) *Como consecuencia de la gran calidad que los productos derivados del cerdo alcanzan en la geografía española, hasta el momento se han otorgado las denominaciones de origen Guijuelo y Jamón de Teruel. Sin embargo, son de destacar también el Jabugo, Cumbres Mayores y Cortegana, en la sierra de Aracena, así como Trevélez (Granada) y Montánchez (Cáceres), que se podrían considerar denominaciones de origen potenciales.*
   f) *Sin embargo, es a partir del antiguo Estatuto del Vino de 1932 cuando se define con claridad el concepto de denominación de origen. Actualmente existen en España 28 de ellas de vinos diferentes.*
   g) *Cada denominación dispone de un reglamento, en el que se señala la zona de producción y la zona de crianza. La primera es la región o comarca vinícola que por las características del medio natural, por las variedades de vid y sistemas de cultivo, produce uva de la que se obtienen los vinos. Zona de crianza es la región o localidad donde radican las bodegas de crianza del vino.*

   (*Extracto de Mercaconsumo,* n.º 18. Nov. de 1985).

4) Sitúe en el mapa de España los nombres geográficos mencionados en el apartado de denominación de origen que son productores de vino, queso v jamones.

XI. *Las aduanas*

1. Las aduanas

Son las oficinas establecidas por el Gobierno en las costas, fronteras y aeropuertos para recaudar los *derechos arancelarios* y fiscalizar la entrada y salida de mercancías en el país.

Derechos arancelarios: son los gravámenes que imponen los Estados a las importaciones de bienes o servicios en sus países respectivos.

Aduana es una palabra de origen árabe que significa oficina; se considera aduana al conjunto de recintos acotados, oficinas, locales y almacenes donde se ejerce las funciones de comprobación y vigilancia del paso de mercancías. La entrada de éstas a un país puede hacerse también por los puertos francos, llamados así debido a que, a través de ellos, el paso de mercancías está libre de cualquier impuesto o derecho.

Aduana: Oficina pública de la Administración encargada de controlar el paso de los bienes y capitales a través de las fronteras.

Se llama renta de aduanas al producto del impuesto que se percibe en razón del paso de las fronteras en cualquiera de las dos direcciones, especialmente cuando se trata de entradas de mercancías en el país que cobra dicho impuesto, según unas determinadas tarifas que constituyen en conjunto el arancel.

Así pues, los derechos arancelarios son los gravámenes que los Estados aplican a las importaciones de bienes o servicios en sus respectivos países. Los podemos clasificar como derechos específicos, que son aquellos que fijan una suma de dinero por unidad de cantidad, volumen, peso, etc., y derechos *ad valorem,* los que se señalan con un porcentaje determinado sobre el valor de los bienes o servicios que se importan. También pueden ser derechos mixtos, gravámenes que se componen de un derecho específico y otro *ad valorem;* derechos alternativos, que constan de un derecho específico y otro *ad valorem,* aplicándose solamente uno de ellos, y derechos estacionales, fijados sólo en determinadas épocas del año para proteger algunos productos o sectores.

Tarifa: tabla o escala de los precios que se aplican a determinadas mercancías o suministro, teniendo en cuenta ciertas variantes.

Nomenclatura: conjunto de las palabras técnicas de una ciencia o facultad.

Nomenclatura aduanera: clasificación metódica de las mercancías en categorías, destinadas a seguir los movimientos comerciales en el exterior.

Nomenclatura Aduanera de Bruselas (NDB): acuerdo por el que se creó una nomenclatura arancelaria única seguida por los países de la CEE, AELE, OCAM y ALALC. Los únicos países de importancia en el comercio mundial que no han aceptado esta nomenclatura son los Estados Unidos y la Unión Soviética.

El arancel puede ser también autónomo y convencional o *tarifa* arancelaria contractual, según que se establezca unilateralmente por un solo país o de acuerdo entre dos o más que sean partes interesadas. Asimismo, atendiendo a las distintas fórmulas empleadas para la aplicación de los derechos.

España tiene un arancel de exportación y otro de importación, teniendo el segundo mucha más trascendencia económica debido a su incidencia en los ingresos del Tesoro Público.

Al entrar a formar parte de organismos internacionales de cooperación económica, España se ha visto obligada a realizar una nueva estructuración de los aranceles. El 30 de mayo de 1960, mediante decreto, se introdujo la llamada *Nomenclatura Aduanera de Bruselas,* que se divide en 21 secciones y 99 artículos. Los derechos que se fijan en ella se basan, casi en su totalidad, en el sistema *ad valorem.*

Ejercicio

Responda las preguntas siguientes:

a) *¿De dónde procede la palabra aduana?*
b) *¿A qué llamamos ahora aduanas?*
c) *¿Cuál es su función?*
d) *¿Hay que pagar siempre los derechos en las aduanas?*
e) *¿Qué es un arancel?*
f) *¿Qué tipos de aranceles hay?*
g) *¿Qué es un arancel autónomo y un arancel convencional?*
h) *¿Cuál es el arancel que tiene una mayor incidencia en los ingresos económicos?*
i) *¿Cuándo se introdujo la Nomenclatura Aduanera de Bruselas?*

2. ¿Qué es...?

GATT

(General Agreement on Tariffs and Trade)

El Acuerdo General sobre Aranceles y Comercio fue firmado en Ginebra el 30 de octubre de 1947, y se puede definir como un contrato multilateral que establece un código común de conducta en el comercio internacional, proporcionando mecanismos para reducir y estabilizar las tarifas. Salvo casos excepcionales, todo miembro del GATT debe aplicar la misma tarifa aduanera a la misma mercancía, cualquiera que sea su procedencia.

LIBRE CIRCULACION DE MERCANCIAS

Constituye un paso posterior al de la Unión Aduanera. Consiste en la abolición de restricciones cuantitativas al tráfico. El tratado de Roma contempla esta posibilidad: libre circulación de mercancías, de personas, servicios y capitales.

UNION ADUANERA

Aspira a eliminar no sólo las trabas arancelarias, sino cualquier causa de distorsión en el tráfico comercial. Para ello se hace preciso una legislación aduanera común.

UNION ARANCELARIA

Es un convenio entre los países mediante el cual éstos suprimen entre sí las barreras arancelarias y adoptan un arancel común frente a terceros países.

A lo largo de la historia, los países han mostrado una cierta tendencia a poner obstáculos a la entrada en su territorio de las mercancías procedentes de otras naciones. Esta actitud se ha pretendido justificar invocando la necesidad de proteger la producción nacional de la posible competencia exterior.

La opinión de los economistas no ha sido unánime en este terreno, agrupándose en dos corrientes principales: la *librecambista* y la proteccionista. Los argumentos en favor de la segunda actitud son muchos y variados, pero ninguno de ellos es capaz de convencer y atraer con la fuerza del principal argumento que maneja el librecambismo: la más eficiente distribución de los recursos productivos a nivel mundial supone un incremento en el producto total y, por consiguiente, mayores posibilidades de bienestar, también a nivel mundial.

Librecambista: adjetivo de librecambio: liberación de los intercambios, es decir, flexibilización o supresión de las restricciones cuantitativas a la importación y, en su caso, a la exportación.

Ejercicio

Redacte una breve conferencia aclarando los conceptos de *librecambismo, proteccionismo*. Asimismo, señale cuáles son las diferencias entre *Unión Aduanera* y *Unión Arancelaria,* y en qué consiste el *GATT* y la *libre circulación de mercancías.*

3. La política arancelaria comunitaria

Uno de los objetivos fundamentales de la CEE, definido en el artículo 3 del tratado de Roma, es «el establecimiento de un arancel aduanero y una política comercial comunes respecto a terceros países».

Para conseguir esto, el *tratado* preveía dos etapas: en la primera, los Estados miembros debían resolver los problemas relativos a los aspectos arancelarios, iniciando a la vez, una política de coordinación de sus relaciones comerciales con terceros países. Posteriormente, en una segunda etapa, se debería alcanzar una política comercial común.

Tratado: ajuste o convenio de un negocio o materia, especialmente entre naciones.

A partir del 1 de julio de 1968 quedaron suprimidos los *derechos de aduana* entre los primeros seis miembros y, a partir del 1 de julio de 1977, para los tres nuevos miembros que se incorporaron al Mercado Común —Gran Bretaña, Irlanda y Dinamarca—. Todos ellos tienen un arancel exterior común: el TEC, Arancel o Tarifa Exterior Común.

No obstante, los controles aduaneros siguen estando vigentes en el comercio entre los países miembros, debido a una serie de reglamentaciones dispares y a los distintos tipos de fiscalidad. Por tanto, todavía no se puede afirmar que el Mercado Común Europeo haya alcanzado la perfección en este sentido. Y si bien se puede decir que se ha conseguido una unión arancelaria, no se ha llegado, sin embargo, a la unión aduanera.

Las tarifas TEC se calcularon hallando la media aritmética simple de los aranceles en vigor en cada país miembro de la comunidad antes de que se iniciase el proceso de la integración. Así, los países más proteccionistas de los Seis, Bélgica, Francia, Italia y Luxemburgo, tuvieron que reducir sus tasas arancelarias preexistentes, en tanto que aquellos con economías más abiertas, como Alemania y Holanda, ajustaron sus aranceles ligeramente hacia arriba.

En la actualidad, el nivel medio de protección nominal frente a las importaciones industriales procedentes de terceros países es uno de los más bajos del mundo.

Podemos considerar como años dorados de la Europa comunitaria los comprendidos entre 1959 y 1968, a lo largo de los cuales se constituyó la Unión Aduanera.

Ejercicio

Diga si son verdaderas o falsas (V/F) las afirmaciones que encontrará a continuación.

a) *El establecimiento de un arancel aduanero común quedó previsto en el primer punto del tratado de Roma.*
b) *Con ese fin se fijó más de una etapa.*
c) *Actualmente, siguen existiendo derechos de aduanas entre los países miembros de la CEE.*
d) *El Mercado Común Europeo no es todavía un auténtico mercado común.*
e) *Las siglas TEC significan Tarifa Europea Común.*
f) *Alemania y Holanda han aumentado la tarifa de sus aranceles.*

Derechos por tarifas aduaneras	**Porcentaje del total**		
	CEE	Estados Unidos	Reino Unido
Inferior al 20 %	95,8	71,7	69,3
Superior al 20 %	4,2	28,3	30,7
Superior al 30 %	0,3	22,6	25,2
Superior al 40 %	—	8,6	1,7

La Europa de los Doce, Banco Central.

Número partida (NCCA) — Claves y unidades estadísticas	Textos partidas (NCCA), subpartidas y subdivisiones (autónomos). Nomenclaturas arancelarias y estadística mercancías. Régimen comercial exportación (al final de cada partida).	Régimen Comercial Importación	DERECHOS ARANCELARIOS: Generales autónomos Reducidos efectivos ( )	CONVENIDOS PREFERENCIALES: C.E.E. %	CONVENIDOS PREFERENCIALES: A.E.L.C. %	CONVENIDOS: Otros (GATT PVD, etc.) %	Impuesto Compensación Gravámenes Interiores %	Exportación — Tarifas desgravación fiscal %
61.02	**B.II.e).3:**							
	bb) de fibras textiles sintéticas o artificiales:							
61.02.43.1 número (E)	11. de fibras textiles sintéticas	L (*)	36,5 (28,8)	21,6 (1)	21,6 (2) 15,8 (P)		14 (3)	9 (3)
	22. de fibras textiles artificiales	L (*)	44,5 (33,9)	25,4 (1)	25,4 (2) 18,6 (P)		14 (3)	9 (3)
61.02.43.2 número (E)	—:de rayón (N. Est.)							
61.02.43.3 número (E)	—:de las demás (N. Est.)							
61.02.44 número (E)	cc) de algodón	G C.G. 18/85	44,5 (33,9)	25,4 (1)	25,4 (3) 18,6 (P)		14 (3)	9 (3)
	dd) de otras materias textiles ..	L (*) (4)	36,5 (28,8)	21,6 (1)	21,6 (2) 15,8 (P)		14 (3)	9 (3)
61.02.45.1 número (E)	—:de seda (N. Est.)							
61.02.45.2 número (E)	—:las demás (N. Est.)							
	4. vestidos:							
	aa) de seda, de borra o de borrilla......................	G C.G. 18/85	36,5 (28,8)	21,6 (1)	21,6 (2) 15,8 (P)		14 (3)	9 (3)
61.02.47.1 número (E)	—:de seda (N. Est.)							
61.02.47.2 número (E)	—:de borra o de borrilla (N. Est.)							
61.02.48 número (E)	bb) de lana o de pelos finos....	L (*)	36,5 (28,8)	21,6 (1)	21,6 (2) 15,8 (P)		14 (3)	9 (3)
61.02.52 número (E)	cc) de fibras textiles sintéticas.	L (*)	36.5 (28,8)	21,6 (1)	21,6 (2) 15,8 (P)		14 (3)	9 (3)

(*) La D.G. de P.A. e Importación podrá ordenar, como trámite previo a la aceptación de las D.L. correspondientes a las mercancías aquí clasificadas, cuando sean originarias de Corea del Sur, Hong-Kong, Singapur, Taiwan, India, Pakistán, Tailandia, Macao, Malasia, Filipinas y Bangla-Desh, como trámite previo a la aceptación de las D.L. la práctica de estudios sobre su repercusión en el mercado interior (OO.MM. de 25-9-68, «B.O.E.» del 28 y de 14-6-77, «B.O.E.» del 18 y Resolución de la D.G. de P.A. e Importación de 24-3-81, «B.O.E.» del 1-4).

(1) Reducción del 25 por 100 sobre derechos efectivos a terceros.

(2) Países de la A.E.L.C. excepto Portugal, reducción del 25 por 100 sobre derechos efectivos a terceros.

(P) Portugal desde el 1-7-83, reducción del 45 por 100 sobre derechos efectivos a terceros.

(3) Bonificación del I.C.G.I. aplicable a la Importación de prendas exteriores de vestir de la subdivisión del A. de A., 61.02 B.II.e, de forma que el tipo resultante sea el 1 por 100, durante el período comprendido entre el 5-6-85 y el 5-9-85, prorrogado hasta el 16-12-85 (R.D. de 29-5-85, «B.O.E.» del 5-6 y del 4-7 y R.D. de 28-8-85, «B.O.E.» del 1-10, que suspenden la aplicación del art. 7.° del R.D. 1313/84 de 20-6, «B.O.E.» del 10-7, para las exportaciones de prendas exteriores de vestir anteriormente especificadas).

(4) Globalizadas las de seda (cupo global 18/85).

4. La Asociación Latinoamericana de Libre Comercio

Por el tratado de Montevideo, suscrito el 18 de febrero de 1960, se crea la Asociación Latinoamericana de Libre Comercio (**ALALC**), que agrupaba en principio a Argentina, Brasil, México, Paraguay, Uruguay, Perú y Chile; en 1961 se incorporaron Colombia y Ecuador; Venezuela, en 1966, y un año más tarde Bolivia.

Es decir, en la actualidad, sus miembros son todos los países de Sudamérica (con la excepción de las antiguas Guayanas) y México. La ALALC, con sus 19,3 millones de km^2, 287 millones de habitantes y 368.530 millones de dólares de PNB (datos de 1977), es el más vasto proyecto de integración económica dentro del Tercer Mundo.

El objetivo básico de la ALALC era alcanzar la plena liberación comercial entre las partes contratantes a lo largo de un período transitorio de doce años. Para ello se instrumentaron dos tipos de listas de rebajas arancelarias: las listas nacionales y la lista común. En función de las primeras, cada país miembro debía conceder una rebaja arancelaria anual del 8 %, respecto al arancel vigente, a terceros países, hasta alcanzar «lo sustancial del intercambio». Estas rebajas no eran automáticas, y se acordaban en negociaciones anuales realizadas producto por producto, recordando mucho este método al muy laborioso puesto en marcha por el GATT. A su vez, las concesiones realizadas dentro de ese marco no tenían tampoco el carácter de irrevocables, por lo que cada país podía dar marcha atrás en un cierto sector, cuando lo compensara con una concesión equivalente en otro.

Por la lista común, las partes contratantes se comprometieron a liberar totalmente el 25 % del comercio intrazonal cada tres años, teniendo carácter irrevocable las concesiones habidas dentro de este marco. Por otro lado, se acordó una nomenclatura arancelaria uniforme, la *NABALALC*, basada en la de Bruselas.

A la vista de las enormes diferencias existentes entre los distintos países de esta asociación, en el tratado de Montevideo se acordó otorgar un régimen más favorable a los países menos desarrollados, como concesiones unilaterales, medidas de protección industrial o calendario privilegiado para el *desarme* arancelario.

Las buenas expectativas creadas al principio de la década de los sesenta fueron pronto defraudadas, quedando incumplido el calendario, tanto en lo referente a las listas nacionales como a la común. Es más, desde finales de la década era ya evidente que el comercio realizado al margen de los esquemas de integración crecía con un ritmo más vivo que el generado por tales esquemas.

Ante el patente incumplimiento de lo acordado en Montevideo, las partes contratantes reaccionaron en una doble dirección: por un lado se reconoció la posibilidad de avanzar hacia la creación de mercados subregionales que pudieran soslayar algunos de los escollos producidos en la ALALC; por otro, se aplazó el objetivo del total desarme arancelario, inicialmente propuesto para 1972, hasta 1980, con un trato de excepción favorable a Bolivia, Ecuador, Paraguay y Uruguay (protocolo de Caracas de 1969).

Ejercicios

1) Responda las preguntas siguientes:

   a) *¿En qué fecha se creó la ALALC?*
   b) *¿Qué significan esas siglas?*
   c) *¿Con qué fines se creó?*
   d) *¿Dónde está Montevideo?*
   e) *¿Qué son las listas nacionales y la lista común?*
   f) *¿Con qué problemas tuvo que enfrentarse la ALALC?*
   g) *¿Qué se acordó en Caracas, en 1969?*
   h) *¿De qué país es la capital de Caracas?*

2) Compare:

	ALALC	CEE
Fecha de creación:		
Nombre del tratado:		
Países miembros		
al principio:		
ahora:		
Fines:		
Resumen de logros:		

3) Relacione los términos de la columna A con su sinónimo en la columna B.

A	B
a) *suscrito*	1) *diez años*
b) *PNB*	2) *dificultad*
c) *instrumental*	3) *decepcionar*
d) *rebaja*	4) *firmado*
e) *bautizar*	5) *sortear una dificultad*
f) *irrevocable*	6) *Producto Nacional Bruto*
g) *nomenclatura*	7) *proporcionar los medios*
h) *defraudar*	8) *del mismo género o muy semejantes*
i) *década*	9) *reducción*
j) *homogeneidad*	10) *dar nombre*
k) *soslayar*	11) *no revocable, definitivo*
l) *escollo*	12) *conjunto de palabras técnicas*

5. España en la CEE

Desarme (arancelario): en sentido figurado: supresión de aranceles.

El *desarme arancelario* industrial, dentro del ámbito de la comunidad, quedará completado tras un período transitorio de siete años, con ocho reducciones, todas el 1 de enero, según el siguiente esquema:

1986: 10 %
1987: 12,5 %
1988: 15 %
1989: 15 %
1990: 12,5 %
1991: 12,5 %
1992: 12,5 %
1993: 10 %

No se producen «descrestes» o desarmes acelerados para los productos actualmente sometidos a un alto tipo de arancel por parte española. En cuanto a los automóviles comunitarios, quedan sujetos a unos *contingentes* anuales con un arancel especial del 17,4 % durante los tres primeros años. Las cifras de este contingente son de 32.000 vehículos en 1986, 36.000 en 1987 y 40.000 en 1988.

Contingente: cuota que se señala a un país o a un industrial para la importación, exportación o producción de determinadas mercancías.

La Tarifa Exterior Común de la Comunidad frente a terceros países ha sido adoptada por España, desde el momento de su adhesión, para los aranceles con una diferencia actual menor del 15 %. El resto queda sometido a las reducciones generales. También se han acordado contingentes para diversas categorías de productos textiles y, por espacio de dos años, se han fijado medidas transitorias para adaptar la reglamentación española a la comunitaria en materia de tráfico de perfeccionamiento. También se han fijado contingentes de importación, por parte española, para los productos procedentes de países mediterráneos, países y territorios de ultramar y países del sistema de preferencias generalizadas. En lo referente a los productos textiles, se han acordado contingentes frente a los países socialistas, y en once productos España podrá mantener la actual autorización previa para su importación.

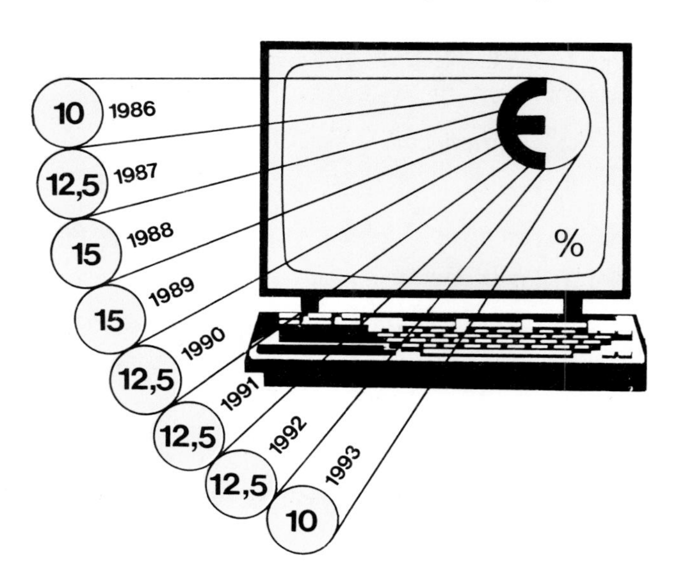

Por otra parte, España se integra, desde la adhesión, en los acuerdos especiales suscritos por la Comunidad frente a terceros países (los miembros de la Asociación Europea de Libre Cambio, el Magreb, China Popular, Rumanía...). Asimismo España renuncia, desde el 1 de enero de 1986, a las preferencias bilaterales y unilaterales aplicadas a terceros países. Con respecto a las medidas de salvaguarda, sólo podrán adoptarse con carácter provisional y temporal para casos que se consideren de urgencia.

Comunidad Europea, n.º 216-217.

Ejercicios

1) Ponga el verbo que está entre paréntesis en el tiempo correcto:

   a) *El informe ha de .... (quedar) sobre mi mesa antes de las 5.*

   b) *Es preciso que .... (Uds./reducir) sus gastos de inmediato.*

   c) *No creemos que se .... (producir) cambios antes de lo previsto.*

   d) *Si me veo obligado a .... (adoptar) severas medidas, las .... (adoptar). Téngalo por seguro.*

   e) *Para este período transitorio se han .... (acordar) varios pasos.*

   f) *Es preciso que .... (tu/fijarse) cuando redactas una nota.*

   g) *Nos exigió que .... (nosotros/renunciar) a nuestros derechos.*

2) Diga dos países cuyo nombre comience por cada una de las letras de la palabra ARANCEL.

3) Prepare un breve resumen sobre lo que va a representar la entrada de España en el Mercado Común, en lo que respecta a los aranceles.

Gestoría de Aduanas

Oficina especializada en la tramitación de documentos de exportación e importación, y en el envío y recepción de mercancías procedentes de dichas operaciones.

Agente de Aduanas

Persona que actúa en nombre del comprador o del vendedor de un producto, dotado de los poderes de representación adecuados, para tratar con los diferentes agentes o intermediarios que intervienen en una operación de compraventa con el extranjero y, principalmente, para realizar el despacho aduanero correspondiente.

4) Si se fija bien, en esta sopa de letras podrá encontrar diez términos que han aparecido en este capítulo.

R	S	T	U	C	O	N	T	I	N	G	E	N	T	E	P	T	R
V	X	L	Y	Z	P	E	D	R	O	L	A	A	M	G	G	N	O
P	Q	I	R	S	O	F	I	C	I	N	A	T	U	U	R	Ñ	M
V	A	B	T	P	L	R	A	C	S	O	H	M	N	N	A	Z	U
X	U	R	N	R	U	E	S	P	Z	A	R	N	O	T	V	F	E
P	Ñ	E	T	S	S	A	O	L	O	D	U	A	A	N	A	A	H
Q	B	C	O	N	L	O	B	A	Z	U	I	P	E	G	M	O	L
C	Q	A	R	O	E	E	T	S	O	A	E	T	L	T	E	I	E
W	P	M	Q	N	I	S	N	N	C	N	G	E	O	R	N	X	M
A	L	B	E	T	I	R	B	G	G	A	N	O	N	A	E	A	N
A	Z	I	Z	L	A	N	O	I	C	A	T	S	E	M	C	I	S
O	O	S	A	F	N	O	O	D	P	T	U	T	U	I	S	R	T
N	Y	T	U	O	I	C	A	R	R	S	A	J	O	T	S	O	O
A	L	A	O	N	S	Z	U	L	I	T	P	V	T	A	R	T	R
B	A	E	L	A	A	A	C	A	A	E	X	Z	W	C	P	S	M
C	L	M	D	E	S	A	R	M	E	Y	D	E	F	I	N	E	A
Z	Ñ	Z	P	R	S	T	U	V	O	N	N	O	P	O	B	G	G
L	O	T	S	R	P	O	N	M	H	A	S	Q	R	N	C	H	I

XII. El transporte

1. Medios de transporte

A) El ferrocarril

Desde su aparición, y a lo largo del siglo XIX y gran parte del actual, el ferrocarril ha sido el medio de transporte más importante en todos los países del mundo.

El desarrollo ferroviario de España fue, en un principio, el resultado de diferentes fórmulas de compromiso entre los variados intereses imperantes en aquel momento. Las apetencias locales de poseer enlaces de este medio de transporte hace que, en ocasiones, los trazados de las líneas principales resulten poco lógicos, en cuanto a comunicaciones directas se refiere, y ello, principalmente, por dar satisfacción a aquellas apetencias y al logro de mayor tráfico local. Por otra parte, la orografía tampoco se prestaba demasiado a acortar los trayectos, agudizando el poco equipamiento inicial, la escasez de capitales y la teoría de que un ferrocarril se termina cuando se inaugura.

Existe, además, algo que diferencia esencialmente los ferrocarriles españoles de la mayoría del resto de Europa. Esta diferencia viene condicionada por el ancho de *vía* utilizado en nuestro país y Portugal en relación con los demás países, a excepción de la URSS, que también tiene un ancho diferente. Y es que en España y Portugal existe una separación de bordes interiores entre carriles de 1,674 metros, mientras que en la Unión Soviética es de 1,524 metros y el resto de Europa aplica la llamada distancia internacional, de 1,435 metros.

Vía: carril de hierro. Raíl. Camino.

Red: conjunto de vías afluentes a un mismo punto.

Una vez concluida la guerra civil en España, la situación de las compañías ferroviarias era angustiosa, dados los destrozos causados en las instalaciones e infraestructura. A consecuencia de esta circunstancia, el Estado rescató las concesiones, creando en 1941 la *Red* Nacional de los Ferrocarriles Españoles, RENFE. Solución análoga hubieron de tomar los Gobiernos europeos al finalizar la segunda guerra mundial, encontrándose en la actualidad en manos del Estado las redes de Alemania, Austria, Bélgica, Bulgaria, Checoslovaquia, Dinamarca, Finlandia, Francia, Grecia, Holanda, Hungría, Italia, Luxemburgo, Noruega, Polonia, Reino Unido, Rumania, Suecia, Suiza (parcialmente), Unión Soviética y Yugoslavia.

Locomotora: máquina montada sobre ruedas que, movida por vapor, electricidad, etc., marcha sobre carriles y arrastra los vagones de un tren.

En España, en 1950, más del 95 % de las *locomotoras* eran de vapor, mientras que en 1974, por lo que respecta a RENFE, ya habían dejado todas ellas de prestar servicio, en tanto que las máquinas que utilizan el gasoil como combustible pasaban, de dos unidades, a 772.

Asimismo la electrificación de líneas ha avanzado enormemente en toda Europa desde 1950; en 1977 ocupaba el primer lugar en este aspecto Holanda, con el 60 % de sus líneas electrificadas (28 % en 1950, a la que seguían Italia con el 52 % y la República Federal Alemana con el 37 %, situándose en los últimos lugares Dinamarca, con sólo el 5 % e Irlanda, que carece de líneas electrificadas. España ha realizado un esfuerzo considerable, desde contar sólo con el 5 % de línea férrea electrificada en 1950 hasta tener el 35 % en 1977, último año del que hay datos.

El futuro del ferrocarril en el transporte a larga distancia debería estar asegurado, si tenemos en cuenta que, con la situación actual en materia energética, este tipo de transporte consume solamente el 28 % de los que utiliza un camión, en gramos equivalentes de petróleo por tonelada/km.

En el transporte de viajeros de cercanías, ese porvenir no está tan claro, ya que los consumos de autobús y ferrocarril se encuentran muy igualados y las ventajas de movilidad están a favor del primero.

B) Carreteras

Carretera: camino público, ancho y espacioso, dispuesto para carros y coches.

Concluida la segunda guerra mundial en 1945, el transporte por *carretera* experimenta un auge importante y acorde con los crecimientos económicos que tienen lugar en toda Europa.

En el transporte de viajeros la primacía corresponde al automóvil, cuando a partir de la década de los cincuenta empieza a crecer su utilización, teniendo en 1975 el auge que reflejan las cifras siguientes: en Bélgica, el 72,7 % del transporte de pasajeros corresponde al automóvil; en Italia es el 78 %; en Holanda, el 84,7, en tanto que en el Reino Unido sobrepasa el 80 %. España, en ese mismo año, se acercaba al 70 %.

Porcentajes similares corresponden al transporte interior de mercancías. En España, el transporte de mercancías por carretera funciona con un principio de libertad y sobre la base de autorizaciones administra-

tivas. Por lo que respecta al transporte de viajeros por carretera, se encuentra regido por la llamada ley de Coordinación, basada en la prioridad del transporte ferroviario, sobre la base de dos instrumentos legales, como son el canon de coincidencia (impuesto que paga el transportista a favor de RENFE cuando el primero cubre una línea que coincide en más de un cincuenta por ciento de su trazado con una de RENFE) y el derecho de tanteo (preferencia que tiene RENFE frente a otro transportista cuando hay que adjudicar una nueva línea de viajeros que coincida con otra de RENFE en más de un cincuenta por ciento).

Con la adhesión de España a la Comunidad Económica Europea, tendrá que producirse un cambio en la legislación para adaptarse a las normas comunitarias. Una de las consecuencias habrá de ser la desaparición de la contingentación (limitación del número de tarjetas de transporte para el transportista), dando transparencia y dinamismo al mercado del transporte. Asimismo deberán fijarse las categorías de licencias en función de la calidad de los medios que empleen, de la solvencia de la empresa y de las cualidades profesionales del transportista.

El problema de las **tarifas** será necesario adaptarlo al sistema de referencias que existe hoy en la Comunidad, desapareciendo el canon de coincidencia e introduciendo, por el contrario, unas tasas, tal como sucede ya en casi toda Europa, que reflejen el costo del desgaste en la *infraestructura* que tales transportes producen.

Infraestructura: nombre colectivo que se da en aviación a todo el material que no vuela, como campos, cobertizos, depósitos, talleres. Por ampliación: instalaciones.

Ejercicios

1) Localice en el epígrafe que acaba de leer los pros y los contras de este medio de transporte.

2) Haga un breve resumen del desarrollo del ferrocarril en España.

3) Prepare un estudio comparativo entre el transporte por ferrocarril y por carretera para exponer en clase.

4) Acentúe las siguientes palabras, si es necesario:

energia	*interes/intereses*
linea	*hallandome*
comunicacion/comunicaciones	*maquina*
analogia/analogo	*pais*
mas de lo preciso	*ferreo*
canon	*categoria*

C) Navegación interior y transporte marítimo

Navegación: acción y efecto de navegar. Viaje que se hace con la nave. Tiempo que éste dura.

En nuestro país, la *navegación* interior carece de entidad comparada con los demás tipos de transporte. Sin embargo, en Europa existen naciones en las que este medio de transporte tiene una importancia vital en el tráfico interior de mercancías.

Aunque la construcción de canales para la navegación data de antiguo, en el siglo pasado y primer tercio del actual es cuando se realizan las obras más importantes que existen en la actualidad.

En Europa, los canales comunican los mares circundantes a través de una intrincada red, que discurre, principalmente, por Holanda, Alemania, Bélgica y Francia. En la actualidad se acomete la realización de un canal que comunique los mares Báltico y del Norte con el Mediterráneo.

Tonelaje: capacidad de una embarcación. Número de toneladas que desplaza un conjunto de buques mercantes.

La importancia económica de estas **vías de comunicación** se comprueba a continuación, especialmente en los Países Bajos, donde en 1977 el 40,4 % del *tonelaje* de transporte interior se hacía por este medio, representando el 56 % en toneladas-kilómetro. Para la República Federal de Alemania estos porcentajes se sitúan en el 8,1 y 21,7 respectivamente.

Flota: conjunto de barcos o aviones que marchan u operan juntos.
amarrada: participio adjetivo de amarrar, sujetar una embarcación por medio de amarras (cabos o cadenas).
mercante: la utilizada para el transporte de mercancías y viajeros, a diferencia de la flota de guerra.

Navío: buque para navegar en alta mar.

Marina mercante: otra forma de denominar a la flota mercante.

Pabellón: bandera de una nación. Por traslación, nacionalidad de un barco mercante.

Flete: precio estipulado por el alquiler de una nave o de parte de ella, o de otro medio de transporte. Carga de un buque.

La participación de la *flota mercante* comunitaria en el total mundial del transporte marítimo, que hace veinte años representaba cerca del 40 %, es en 1977 sólo ligeramente superior al 19 %. Esta baja espectacular tiene su punto más alto a partir de 1973, y especialmente entre 1975 y 1976, en que numerosos *navíos* ultramodernos quedan inactivos a consecuencia del exceso de capacidad en el mercado mundial.

Este exceso de capacidad viene dado no sólo por las mayores flotas construidas por los países comunitarios, sino por el crecimiento de los países del este europeo, cuyas *marinas mercantes* han aumentado de forma espectacular en los últimos tiempos; la multiplicación no menor de los llamados «*pabellones* de conveniencia» (Grecia, Panamá, Liberia...) y la construcción de grandes flotas petroleras por parte de los países árabes.

La demasía de oferta provoca una inestabilidad creciente en el mercado de *fletes,* agudizada por las tarifas sumamente bajas de los países del este. Se ha de tener en cuenta que esta competencia se deja sentir preferentemente en las líneas del Atlántico, Pacífico y este de Africa, zonas tradicionales de las marinas mercantes europeas.

Quizá el reflejo más fiel de la crisis por la que atraviesa la marina mercante venga dada tanto por la *flota amarrada* como por los buques que se envían para su desguace; en 1978, éste fue el final de gran número de petroleros, que sumaban en total más de 15 millones de toneladas de desplazamiento.

Por lo que respecta a los buques amarrados, a finales del mes de febrero de 1978 eran 155 petroleros. El total de la flota amarrada (petroleros, bulkcarriers y combinados), para la misma fecha, era de 242 barcos. Como dato comparativo se puede citar que a finales de 1978 existían 3.255 buques petroleros de más de 10.000 T.P.M., cuyo tonelaje total ascendía a 320,2 millones de T.P.M. La flota de buques mixtos estaba compuesta de 417 barcos, con 47,4 millones de T.P.M., y los metaneros sumaban 47 unidades, con una capacidad de 4,1 millones de metros cúbicos.

A la vista de todo lo anterior, las perspectivas de la marina mercante no pueden ser optimistas, y mucho menos si tenemos en cuenta la duración que puede tener la crisis económica general, ya que solamente un crecimiento continuo del comercio internacional sería capaz de aliviar la situación actual.

Ejercicios

1) Conteste las siguientes preguntas:

   a) *¿A qué llamamos navegación interior?*

   b) *¿Tiene importancia ésta en España?*

   c) *¿En qué países de Europa la tiene?*

   d) *¿Cuál es la situación del transporte marítimo europeo en la actualidad?*

   e) *¿Por qué quedaron inactivos algunos navíos a partir de 1976?*

   f) *¿En qué medida hacen la competencia las flotas de los países del este?*

2) Complete estas frases con la preposición que considere apropiada:

   a) *Son las cifras .... las que contamos .... la actualidad.*

   b) *Van a iniciar la construcción .... un canal, ... del cual se pondrán en comunicación los dos países.*

   c) *Ese barco está .... desguace.*

   d) *Hemos llegado .... barco.*

   e) *........... mediados .... este mes quedará amarrada toda la flota.*

   f) *Nos hemos enterado .... medio del boletín de la compañía.*

D) Transporte aéreo

Sin duda, la gran revelación en el transporte colectivo en el presente siglo ha estado representada por el que se realiza por vía aérea. A partir de los años sesenta, el crecimiento en cualquiera de sus magnitudes ha sido espectacular. En tanto que en 1951 el total mundial era de 34.700 millones de pasajeros-kilómetro, para 1977, solamente en la futura Europa de los Doce, se cifraban en 127.368 millones.

El transporte aéreo se rige en la actualidad según las normas establecidas por la Asociación Internacional de Transporte Aéreo (IATA), que agrupa a 110 compañías de vuelos comerciales, que representan en torno al 85 por 100 del tráfico aéreo mundial. El auge que sigue mostrando nos viene dado por las cifras facilitadas para 1978, en que se transportaron 673 millones de pasajeros, lo que arroja un total de 920.000 millones

de pasajeros-kilómetro, representando el 10 y 12 % más que en 1977, respectivamente.

Por lo que se refiere a la carga transportada, el crecimiento ha sido el más elevado de los últimos cinco años, al rebasar el 12 %, debido a los 26.000 millones de toneladas-kilómetro.

El transporte aéreo sufre ahora las consecuencias de la poca rentabilidad de las compañías, agudizada por la guerra de tarifas iniciada por las compañías *charter.* Para comprender la magnitud de esta lucha comercial, es preciso saber que, según cifras barajadas por la IATA, el 29 % de los viajeros de la ruta del Atlántico norte se efectuaba en vuelos irregulares, lo que supone que las compañías de vuelos regulares han dejado de percibir una suma de alrededor de 2.000 millones de dólares.

La asociación preconiza la estabilidad de tarifas, aunque las grandes compañías han preferido negociar entre ellas, presionadas por las compañías americanas, que van paulatinamente liberalizando los controles sobre el tráfico aéreo. Esta medida tendrá una repercusión en el resto de los países si, como se prevé, las compañías americanas que operan en vuelos interiores se deciden a entrar en los vuelos internacionales.

La Europa de los Doce, extracto. Banco Central.

Ejercicios

1) Responda las siguientes preguntas:

   a) *¿Qué ha representado el avión en el campo del transporte?*

   b) *¿Qué significa IATA?*

   c) *¿Qué función tiene la IATA?*

   d) *¿Cuál es el problema de las compañías de vuelo regular?*

   e) *¿Qué es una compañía* charter?

   f) *¿Qué quiere decir barajar cifras?*

   g) *¿Cuál es la política de las compañías americanas?*

   h) *¿Qué repercusión va a tener esta medida para otros países?*

2) Haga un resumen-informe sobre el epígrafe «Medios de transporte».

2. Los transportes en la Comunidad Económica Europea

Jamás en Europa el número de viajeros y cantidad de mercancías ha sido tan grande como ahora. Cada año, más de cien millones de trabajadores, turistas y hombres de negocios recorren el continente en automóviles, autobuses, ferrocarriles, avión o barco, y el volumen de mercancías que atraviesan las fronteras intercomunitarias sobrepasa los 500 millones de toneladas al año. Todas estas cifras nos indican las implicaciones que tienen los transportes en el crecimiento de las economías nacionales, y lo necesario que resulta una política global más activa, para soslayar las dificultades de tráfico existentes entre los países de la CEE.

En 1973, la CEE inició un movimiento tendente a armonizar una política de transportes, pero debido a la no resolución de los problemas de competencia entre los diversos sistemas de transporte, apenas llega a tener trascendencia la política iniciada, lo que va a durar hasta la reunión del Consejo de Transportes, en el otoño de 1977. En éste, como primer principio prioritario se fijó en forma conjunta el desarrollo de las infraestructuras nacionales, adaptando los servicios a las necesidades del tráfico entre los países miembros. Esta política contribuirá a la descongestión de las actuales vías de comunicación en beneficio de las periféricas. El segundo principio prioritario tuvo por objeto el mejoramiento progresivo de la posición financiera y comercial de los ferrocarriles.

Refiriéndose al transporte combinado, la política comunitaria se encamina hacia la disponibilidad de un enfoque multimodal y a la cooperación entre Estados. Este enfoque supone planes concertados para la dotación de la infraestructura y material y mejoramiento de las instalaciones y funcionamiento. En cuanto al mercado de transportes, se trata de facilitar una vigilancia y control del mercado que posibilite los servicios de transporte por carretera que responda a la demanda. Asimismo, los pesos y dimensiones de los vehículos deberán ser regulados.

Para los transportes por vías navegables se aconsejan medidas en cuanto a capacidad, introducción de tarifas de referencia, vigilancia del mercado y control de comportamientos antieconómicos.

En cuanto al transporte aéreo se refiere, se recomienda la creación de vínculos más estrechos con las organizaciones internacionales.

La Europa de los Doce, extracto, Banco Central.

Ejercicios

1) Responda las siguientes preguntas:
   a) *¿Por qué es tan importante el servicio de transporte?*
   b) *¿Cuando empezó la armonización de la política en el sector transportes en la CEE?*
   c) *¿Cuáles eran los puntos prioritarios?*
   d) *¿Qué medidas se aconsejan para el transporte por vías navegables?*
   e) *¿Y en el transporte aéreo?*

2) Acentúe los siguientes vocablos, si es necesario:

vinculo	*asi mismo*
domestico	*tarifa*
numero	*ambito*
infraestructura	*condicion / condiciones*
dotacion	*asimismo*

TIR

Siglas correspondientes a la denominación francesa Transport International Routier (Transporte Internacional por Carretera), que es un convenio aduanero por el que las partes contratantes conceden una serie de facilidades para el despacho aduanero de los vehículos que transporten mercancías por carretera y que estén en posesión del carnet TIR correspondiente.

VELOCIDAD Y CONSUMO DE COMBUSTIBLE

1 milla/hora = 1.609 kilómetros/hora
1 milla náutica/hora = 0,868 nudos
1 milla/galón (G.B) = 0,354 kilómetros/litro
1 milla/galón (EE.UU.) = 0,425 kilómetros/litro

3. El transporte de mercancías

Es el destinado a trasladar geográficamente éstas desde los puntos de origen o de producción a los puntos de consumo. Las vías principales a través de las cuales se produce el desplazamiento son el ferrocarril, la carretera, la navegación marítima y la navegación aérea.

El transporte de mercancías por carretera abarca un grado muy amplio de diversidad, englobando desde el simple camión de reparto en una gran ciudad hasta la exportación en semirremolques de bienes específicos. Presenta dos grupos o tipos muy diferentes de transporte; realizado por cuenta propia o privada y por cuenta ajena o pública. Tiene lugar el primero cuando el dueño de la mercancía lo es también del vehículo que realiza dicho transporte. Por cuenta ajena transporta quien es dueño del vehículo, pero no de la mercancía transportada. Existe un gran número de transportistas o profesionales de esta actividad.

El ferrocarril es un medio de transporte que plantea menos complicaciones que el anterior, en la medida en que está más sistematizado y cuasi monopolizado. También cabe aquí la diferencia entre transporte por cuenta propia, vagón privado, y por cuenta ajena, vagón RENFE, pero en ambos casos el servicio se realiza usando tracción e instalaciones de RENFE. A su vez, las empresas dueñas de vagones pueden usarlos para el transporte de mercancías propias o para el transporte por cuenta ajena. Este último grupo está formado por un cierto número de empresas propietarias de grandes flotas de vagones dedicadas a productos concretos, como pueden ser: TRANSFESA, para el transporte de agrios, con vagones frigoríficos para productos perecederos en general, y SEMAT y SAETA para vehículos. Atendiendo a la forma como pueden llevarse las mercancías en tren, pueden distinguirse tres de ellas: en vagón completo, la paquetería y detalle y en *contenedores*.

Contenedor: barco o recipiente fabricado especialmente para almacenar y transportar artículos. (Del inglés *container*).

El vagón completo supone el 95 % del tráfico comercial de mercancías. La paquetería y el detalle puede realizarse con mercancías de peso reducido y a distancias no muy largas, y por ello, en este tipo de transporte repercute la competitividad del que se realiza por carretera.

Los contenedores suponen actualmente un porcentaje muy bajo dentro de las formas de transporte. Sin embargo, su importancia en cuanto que posibilita la coordinación entre diferentes medios de transporte, hace prever un desarrollo rápido.

El transporte de mercancías, extracto. IRESCO.

Hay que aclarar que el campo del transporte de mercancías no está reducido exclusivamente al transporte de cosas (mercancías, efectos); el propio Código de Comercio se encarga de conceder también carácter mercantil al transporte de viajeros (art. 352).

Atendiendo al objeto del contrato, se distingue entre transporte de objetos y transporte de personas. Dentro del transporte de objetos se puede hablar de mercaderías, de efectos mercantiles (títulos de crédito, billetes de banco) y transporte *postal* (cartas y paquetes). Atendiendo al medio de transporte, puede ser marítimo, terrestre o aéreo, pudiendo existir un transporte combinado o mixto entre dos o más medios.

Postal (transporte): término aplicado al servicio de Correos.

El transporte de cosas se celebra entre el porteador y el remitente; mas como el contrato puede establecer la entrega de las cosas transportadas a persona distinta del cargador, es frecuente que al lado de los contratantes aparezca una tercera persona, el destinatario o consignatario.

Porteador es el empresario que asume la obligación de realizar un transporte.

El remitente, o cargador, es la persona que contrata en nombre propio con el porteador y entrega la carga para el transporte, y el consignatario o destinatario es la persona a la que se han de entregar las mercancías; puede ser el mismo cargador o una persona distinta.

El precio del transporte puede ser abonado por el cargador o debido por el consignatario, según que el transporte se realice **a porte pagado** o **a porte debido.** Los precios han de ajustarse a las tarifas impuestas o aprobadas por el Poder público.

Extracto de curso de Derecho Mercantil,
Cámara Oficial de Comercio e Industria. Madrid.

Ejercicios

1) Defina:

a) *punto de origen y punto de consumo*
b) *camión de reparto*
c) *cuasi monopolizado*
d) *flota de vagones*
e) *vagón frigorífico*
f) *producto perecedero*
g) *paquetería*
h) *agrios*

2) Termine las frases siguientes:

a) *El porteador es ...*
b) *El remitente es ...*
c) *El consignatario es ...*
d) *A porte pagado significa ...*
e) *A porte debido significa ...*

Tacógrafo

Con la adhesión de España al Mercado Común Europeo es obligatoria la instalación del tacógrafo para todos los vehículos de transporte de viajeros y mercancías de nueva matriculación, y en los destinados a transporte de materias peligrosas y de transporte internacional. Para los vehículos de transporte nacional de viajeros y mercancías, se establecen períodos de tres y cuatro años, respectivamente, para la instalación de este mecanismo de control y seguridad.

Comunidad Europea, n.º 216-217

4. El transporte marítimo en contenedores

EN los años cincuenta, los transportes marítimos de carga general se enfrentaban con los muy serios problemas que suponían, por un lado, los altos costos de manejo portuario de la carga y, por otro, el largo tiempo de estancia de los buques en puerto, lo que no sólo encarecía el coste del transporte (y, en consecuencia, de los precios CIF), sino que requería un largo tiempo de tránsito. Varias fueron las soluciones ensayadas para solucionar tales problemas, todas ellas basadas en el principio de unitización de cargas para facilitar la mecanización de las operaciones de carga/descarga; pero la que se impuso como predominante fue la contenerización. En 1956, en Estados Unidos, un transportista terrestre inició el embarque de chasis cargados, concentrando en una sola operación la anteriormente doble de descarga a tierra y carga a bordo, y lo contrario en destino: a partir de ese momento hay toda una serie de desarrollos, consistentes en:

— Diseño de contenedores.
— Construcción de buques especiales para facilitar el manejo de las cajas a bordo.
— Creación de nuevos modelos de grúas con las que dotar a puertos y/o buques para el más eficiente manejo de los contenedores.
— Diseño de medios de tierra —camiones y ferrocarriles— para facilitar la parte terrestre del transporte en relación con la marítima.

La acogida que mereció por los usuarios esta innovación fue muy favorable, y el esfuerzo financiero y técnico de las empresas transportistas para su difusión se extendió rápidamente en los países desarrollados industrialmente. Ciertamente se trata de una solución muy capital intensiva, que requiere unas cuantiosas inversiones no sólo en buques, sino también en equipos de contenedores y chasis, en terminales marítimos (grúas, espacios, etc.) y en infraestructura de transporte terrestre muy desarrollada.

El que sólo en el período 1970-1985 la capacidad de la flota mundial expresada en TEUS (cajas de 20 pies) haya aumentado un 1.033 por 100 da una idea de la forma trepidante en que se ha desarrollado la contenerización.

Obviamente, los países en vías de desarrollo fueron reacios a esta nueva tecnología que les supone, por un lado, dificultad para acceder a ella por las fuertes inversiones que requiere y, por otro, el problema que la reducción de personal portuario conlleva en países sobrados de mano de obra. Esta situación ha sido ya vencida.

En los países industrializados, la contenerización es total desde hace algunos años y en los en vías de desarrollo se está introduciendo con rapidez.

España se incorporó desde el principio a la utilización de estas tecnologías, y calculamos que actualmente las exportaciones de cargas de línea regular alcanzan los siguientes porcentajes de contenerización: Exportación, 65 por 100; importación, 68 por 100.

Dada la situación geográfica de España, pasan necesariamente por la proximidad de sus costas dos de los mayores tráficos mundiales contenerizados: El del Atlántico Norte (entre Estados Unidos, Canadá y Europa) y el de Euopa / Lejano Oriente. Por esta razón, las navieras gigantes de la contenerización mundial tienen fácil acceso a las cargas generadas por España,ya sea con escalas directas o mediante transbordo en puertos próximos a España.

A nivel mundial, España ocupa el puesto número 15 en la capacidad total de contenedores de su flota. Tiene unos 41 buques portacontenedores puros, con una capacidad de 13.000 TEUS (contenedores de 20 pies), que con la capacidad en graneleros, ro-ro y buques multipropósito llega a los 19.500.

Monográfico «El Transporte», diario *Ya*, mayo 1985.

Ejercicios

1) Prepare un resumen sobre el texto que acaba de leer.

2) Escriba una frase en la que aparezcan las siguientes palabras:

a) *portuario*
b) *requerir*
c) *a bordo*
d) *grúa*
e) *contenedor*
f) *flota*
g) *trepidante*
h) *alcanzar*
i) *naviera*
j) *granelero*

5. Correspondencia (modelos y ejemplos)

a) Aviso de envío de mercancías

Lugar y fecha

Nombre ....

Domicilio ....

Localidad ....

Según su pedido n.º ...., solicitado el día ...., nos complace remitirle, por agencia de transportes ...., las mercancías siguientes:

....

.... (detalle de éstas)

Nuestra forma habitual de cobro es, como ustedes recordarán, a 60 días, por letra girada a través del Banco ....
Agradecemos la confianza depositada en nosotros, y le saludamos atentamente.

(antefirma y firma)

b) Reclamación por el mal estado de la mercancía

Lugar y fecha

Nombre ....

Domicilio ....

Localidad ....

El pasado día ...., en la fecha prevista, recibimos nuestro pedido n.º ...., en condiciones defectuosas.

Examinadas las piezas, pudimos comprobar que cinco de ellas presentaban daños considerables que imposibilitan las pongamos en venta.

Esperamos su respuesta, con una solución rápida y eficaz.
Atentamente

(antefirma y firma)

c) Nota de abono por devolución de material

Lugar y fecha

Nombre ....

Domicilio ....

Localidad ....

Nos complace remitirles nota de abono por su devolución de material, cuyo importe deducimos de nuestro giro n.° ...., de ptas. .... , que hemos recibido devuelto.

Queda un saldo a nuestro favor de ptas. ...., que giramos a su cargo, con vencimiento el .... de ...., para dejar saldada su apreciada cuenta.

Sin otro particular, aprovechamos la oportunidad para saludarles muy atentamente.

(firma)

d) Reclamación por diferencia de cantidad

Lugar y fecha

Nombre ....

Domicilio ....

Localidad ....

Muy señores nuestros:

Con esta fecha nos han sido entregados por Transportes .... los artículos correspondientes a nuestro pedido n.° 505, de fecha .... del pasado mes de agosto.

Revisada la mercancía, hemos observado que, contrariamente a lo que especifica su nota de envío, sólo venían 20 docenas de jarras tipo J-2 Bayern, en lugar de las 25 que habíamos solicitado.

Rogamos a ustedes que comprueben el envío y nos informen tan pronto como sea posible.

En espera de sus noticias, les saludamos atentamente.

(firma)

e) Contestación a una reclamación

Lugar y fecha

Nombre ....

Domicilio ....

Localidad ....

Estimados señores:

Acabamos de recibir su amable carta de fecha ...., que se refiere a la mercancía enviada correspondiente a su pedido n.º 505, del pasado mes de ....

Realizadas las averiguaciones oportunas hemos comprobado que, efectivamente, por un error de nuestro almacén se preparó el envío de veinte docenas de jarras, en lugar de las 25 que ustedes solicitaron, por lo que en esta misma fecha hemos procedido a remitirles el resto del pedido, con carácter urgente, a través de la Agencia ....

Lamentamos mucho el error y les rogamos acepten nuestras disculpas por las molestias que hayamos podido causarles.

Reciban un atento saludo.

(firma)

CONSOLIDACION: ¿Qué recuerda usted de...?

IX. EL COMERCIO EXTERIOR

— Diga lo que sepa acerca del CARICOM y del MCCA.
— Fines del Crédito Documentario.
— ¿Qué tipos de empresas comerciales recuerda? Dé una sucinta explicación.
— ¿Para qué sirven las ferias? Tipos de ferias.

X. EL MUNDO DEL PRODUCTO

— ¿Qué se entiende por negociación? ¿Qué es la competencia?
— Explique en qué consiste el código de barras.
— Medios de publicidad.
— ¿Qué se pretende con la denominación de origen?
— Escriba un resumen que recoja los cinco apartados del capítulo X.

XI. LAS ADUANAS

— ¿Qué es?:

a) Una aduana.
b) El TEC.
c) El derecho *ad valorem*.
d) La ALALC.
e) Un agente de aduanas.
f) Los «descrestes».
g) El contingente anual.

XII. EL TRANSPORTE

— Escriba acerca de:

a) El canon de coincidencia.
b) El derecho de tanteo.
c) La contingentación.
d) La ley de Coordinación.
e) El TIR.
f) El tacógrafo.

CLAVE DE SOLUCIONES DE LOS EJERCICIOS

I. LA ECONOMIA

1.1

a) es la ciencia que estudia las actividades económicas mediante las cuales el hombre satisface sus necesidades; b) tres básicas: qué producir, cómo producirlo y cómo distribuir la producción; c) la hipótesis de la escuela clásica es que el hombre persigue solamente su propio interés. Según ella, los valores esenciales de la economía son el valor y el precio. Elimina el factor moral. Se caracteriza por su liberalismo. La escuela ética está interesada en que se tengan en cuenta las fuerzas éticas.

1.2

a) V	b) F	c) V
d) V	e) F	f) V

3.1

económica: economía, económicamente, economizar, economato, economista;
poder: poderío, poderosamente, poderoso;
adquisitivo: adquirir, adquirido, adquisición;
obra: obrada, obrador, obradura, obraje, obrante, obrar, obrero;
elevar: elevación, elevada, elevador, elevadamente;
nacional: nación, nacionalidad, nacionalista, nacionalismo, nacionalizar, nacionalizarse, nacionalización.

3.2

distribución: reparto de la renta, de la riqueza;
evitando: para remediar las diferencias;
solucionar: resolver el problema;
mano de obra: trabajo humano, a diferencia de los materiales;
marcados: señalados, definidos, indicados;
métodos: procedimiento o manera de actuar.

3.3

a) 3	b) 2	c) 3

4.2

a) nulo: sin valor, inútil. No ha aumentado la producción;
b) alza: elevación, subida, aumento;
c) previsto: que se sabe por anticipado, por ser natural o lógico;
d) posibilitado: facilitado, hecho posible. Puede ocurrir o haber ocurrido;
e) financiación: acción de financiar. Suministrar dinero para una empresa;
f) consecutivos: seguidos. Se aplica a lo que sigue inmediatamente a una cosa.

Influencia positiva: a-d-f-h-i
Influencia negativa: b-c-e-g

4.4

a) *primer;* b) *décima;* c) *cuarta;* d) *vigésimo primero;* e) *noveno;* f) *quinto;* g) *trigésimo cuarto.*

4.5

a) V; b) F; c) F; d) V; e) F; f) V.

II. EL COMERCIO

1.1

a) el trueque; b) materias primas, objetos de adorno y algunos productos elaborados por el hombre; c) dificultades del transporte e inseguridad de las vías de comunicación; d) a lo largo de la Edad Media, en las ciudades italianas de Génova y Venecia; e) a partir del siglo XV; f) el incremento asombroso del comercio y la abolición de los monopolios y privilegios comerciales.

1.2

abolir: declarar, mediante una disposición legal, que se suspende cierta costumbre o práctica o el uso de cierta cosa;
emancipación: libertar a alguien de cualquier clase de dependencia. Libertar de la servidumbre o la tutela;
vestigio: huella o señal que queda de otras cosas, materiales o inmateriales, y que sirve para conocer su presencia;
relacionarse: tener o entablar relaciones una persona con otra. Que se dedican a actividades comerciales (en este texto).

3.1

a) es una actividad, ejercida como profesión y con ánimo de lucro, por la cual una persona hace de intermediario entre el productor y el consumidor;
b) comercio al por mayor supone una reventa, es decir, un comerciante vende un producto a otro, que, a su vez, lo venderá. El comercio al por menor vende el producto al consumidor;
c) comercio exterior o internacional y comercio interior.

5.1

a) de varios factores: situación política y económica de los países productores de oro, endeudamiento mundial y ventas oficiales;
b) la demanda monetaria oficial, la demanda industrial y la demanda para la inversión (atesoramiento y especulación);
c) por ser una onza de oro puro.

5.2

a) de-en-de; b) para-en-de-a-a-de-por-de; c) en-de/del-hacia.

6.1

a) los jefes de Estado y de Gobierno de los 9 miembros; b) Monetario Europeo; c) establecer una cooperación más estrecha que dé lugar a la creación de una zona de equilibrio económico en Europa, así como a estabilizar las relaciones de cambio entre las monedas de los países que participan en el mismo; d) ecus (Unidad de Cuenta Europea); e) el 20 % de sus reservas oro y el 20 % de sus dólares; f) papel de activo de reserva e instrumento de liquidación.

6.2

sistema: sistematizar, sistematización, sistemáticamente, sistemático;
europeo: Europa, europeizar, europeísmo, europeísta;
confianza: confiar, confiado, desconfiar, confianzudo;
funcionamiento: funcionar, función, disfunción, funcional, funcionario;
crédito: acreditar, desacreditar, credencial, credibilidad, crediticio, crédulo, crédulamente.

III. LA CONTABILIDAD

1.1

a) evaluar las ganancias. Ser un instrumento de gran utilidad para el análisis de la empresa moderna; b) anotación que se hace en el diario; c) El Diario y el Mayor; d) El Diario registra las operaciones por orden cronológico. El Mayor indica las variaciones de las cuentas representativas de los elementos patrimoniales.

1.2

evaluar
ganar
registrar
operar
negociar
calcular
adeudar
perder

4.1

a) las de *terrenos, edificios, maquinaria, existencias, clientes, deudores, caja, bancos, capital, amortización acumulada, reserva, previsiones, provisiones, acreedores, proveedores, empréstitos, créditos...* b) en colocar su saldo en el lado menor, para equilibrarla; c) en efectuar una anotación en su *debe*; d) relacionando en dos columnas las partidas valoradas de *Activo,* por una parte, y de *Neto* y *Pasivo,* por otra, de modo que las sumas de ambas columnas arrojen el mismo importe; c) establecer una representación de su patrimonio para poder conocer su valor y su estructura.

4.2

debió	*contó*	*anotó*
inscribió	*tuvo*	*hubo*
hizo	*estableció*	*registró*

4.3

capital	*operación*	*conjunto*
cobros	*periódicamente*	*estructura*
utilidad	*estadístico*	*situación*
mercadería	*limitación*	*dinámicas*
artículos	*análisis*	*Hacienda*

4.4

a) si: conjunción condicional / sí: adverbio con el que se afirma;
b) mas: conjunción (pero) / más: adverbio de cantidad (adición);
c) de: preposición / dé: del verbo dar, 1.ª persona singular del presente de subjuntivo;
d) solo: adjetivo (a solas, único) / sólo: adverbio (solamente);
e) se: pronombre reflexivo de 3.ª persona / sé: del verbo saber, 1.ª persona singular del presente de indicativo.

5.1

a) realizada: llevada a cabo, hecha, ejecutada, practicada, elaborada;
b) proporcionar: suministrar, proveer, facilitar, poner a disposición;
c) radicalmente: fundamentalmente, esencialmente, básicamente;
d) posteriormente: subsiguientemente, consecutivamente, ulteriormente, sucesivamente, después;
e) insertar: introducir, incluir, intercalar;
f) idéntico: igual, semejante, exacto, intercambiable, análogo.

5.2

va, tiene, cuenta, es, puede, obtiene.

6.1

a) documentos de compraventa: pedido, factura, albarán. Documentos de pago: recibo, talón, letra de cambio, tarjeta de crédito; b) el proveedor entrega el albarán junto con la mercancía; es un comprobante que luego sirve para verificar con la factura. La factura acredita legalmente una compra; c) mediante el pedido, el comprador solicita los artículos al proveedor; d) es un documento de transporte en el que figuran los datos relativos a la expedición de una mercancía; e) es un justificante que entrega un acreedor a un deudor por el dinero recibido.

6.2

Contabilidad es el conjunto de normas con que un comerciante registra todas las operaciones que realiza para poder saber el estado de su negocio en cualquier momento.
Amortización consiste en pagar parte o el total de una deuda. Recuperar el capital invertido en una empresa o parte de él.
Balance es un inventario que se hace periódicamente del activo y pasivo de una empresa.
Proveedor es la persona que suministra algo.
Forma de envío es el medio o manera en que se hace llegar una mercancía a su destino.
Precio unitario es lo que cuesta o lo que hay que pagar por cada unidad de un artículo.
Consumidor es la persona que compra los productos de la industria, la agricultura, etc.
Identificación es la manera de comprobar que se trata de persona conocida o de la que se poseen ciertos datos.

IV. LA ACTIVIDAD MERCANTIL

2.1

a) medios de pago son una serie de documentos empleados en la actividad mercantil. Entre ellos están: la letra de cambio, el aval, el talón, el cheque, la tarjeta de crédito, la transferencia bancaria, el giro y el reembolso; b) coste de producción es el importe de la elaboración de un bien o un servicio; c) regulado jurídicamente: que se produce con sujección a una regla, de acuerdo con la ley o con las normas legalmente establecidas; d) papel timbrado es el papel oficial, con un sello en el que figura el escudo de la nación, que se emplea para extender documentos oficiales. También, papel de cartas en el que va impreso el nombre, la dirección, etc., de una persona particular o de una entidad o empresa; e) fuerza ejecutiva es el poder o capacidad de ejecución de leyes o acuerdos. Procedimiento para cobrar una deuda en el que intervienen los tribunales, el cual suele comenzar con el embargo de los bienes del deudor; f) requisitos son las circunstancias o condiciones necesarias para llevar a cabo determinada cosa; g) al dorso es en la parte opuesta a la que se considera principal o anverso; h) a la orden es una expresión que denota que ha de ser transferido, por endoso, un valor comercial; i) girar una letra es expedir, librar letras de cambio u otras órdenes de pago; j) al portador es un término que se aplica a los títulos o valores que se acreditan al que los presenta, quienquiera que sea.

2.2

a) beneficiario es la persona a quien beneficia o favorece un contrato, donación o acción semejante;
b) tomador es una denominación que se aplica a la persona a la orden de la cual se gira una letra de cambio;
c) avalista es el que responde por una persona. Garantiza un documento o a una persona por medio de un aval;
d) titular es la persona que tiene el título o nombramiento correspondiente al cargo que se expresa;
e) librado es aquel contra quien se gira una letra de cambio, el deudor;
f) endosante es el que traspasa a otro una letra, cheque u cualquier documento de crédito;
g) razón social es el nombre con el que es legalmente conocida una sociedad mercantil;
h) a la vista es el documento de pago que se abona a su presentación;
i) guarismo es un signo o conjunto de signos que expresan una cantidad de dinero. Número;
j) importe es el valor de una cosa en dinero;
k) nominativo es el documento o valor bancario en el que figura el nombre de la entidad o persona a cuyo favor está extendido;
l) cruzado, en un talón, son dos líneas paralelas para indicar que dicho talón sólo se podrá hacer efectivo mediante abono en la c/c del beneficiario.

2.4

a) en la sociedad limitada la responsabilidad de los socios queda reducida a sus aportaciones del capital, y no responden personalmente de las deudas sociales. En la sociedad anónima el socio responde con el capital aportado representado por los títulos negociables o acciones; b) el aval es una garantía cambiaria; c) los medios de pago, contratos de servicio y los documentos de carácter oficial. Además, los documentos de compra y venta, pedidos, albaranes, facturas y aquellos que representan hechos relacionados con las empresas industriales; d) para evitar que, en caso de extravío o robo, lo puede cobrar otra persona; e) es un medio de pago que permite al titular de la misma obtener bienes o servicios sin entregar dinero en metálico; f) dinero en metálico y los documentos de pago.

3.1

a) el contrato; b) las leyes generales del derecho común; c) la razón o motivo para efectuarlo. El objeto es la cosa o bienes sobre los que trata el acuerdo, y los contratantes han de dar su consentimiento; d) cumplir o servir a la finalidad de su empresa; e) de cambio, un contrato de seguros lo es de previsión de riesgos y uno de préstamo, de crédito.

3.2

apartado, nuestra cuenta, vencimiento, hermanos, por poder.

4.1

a) V. b) F. c) F. d) V. e) V. f) V.

4.2

a) moroso es aquel que se retrasa en el pago o en la devolución de algo;
b) siniestrabilidad, en lenguaje de seguros, el grado o capacidad de perjuicios por un siniestro (incendio, naufragio o desgracia semejante, particularmente producida por una fuerza natural);
c) falta de liquidez es no disponer de activo convertible en dinero efectivo;
d) en litigio es expresión que se aplica a la cosa que se disputa o al asunto sobre el que se discute;
e) dudoso cobro: inseguro, que no se espera cobrar.

Crucigrama:

Horizontal: 1. Avalista 2. Narig 3. Contrato 4. Tasa 5. Endosar 6. Anónima 7. Reembolsa 8. Portador 9. Consiento 10. Requisitos 11. Quiebra 12. Tráfico.
Vertical: 7. Tía.

V. LA EMPRESA

1.1

a) es una unidad económica con una organización en la que se combinan el capital y el trabajo, y cuyo objetivo es la venta de los productos obtenidos para conseguir el máximo de beneficio); b) los factores básicos de la producción: naturaleza, capital, trabajo; c) el órgano directivo estudia los intereses de la empresa y planifica y hace proyectos para que dichos intereses se cumplan; el órgano ejecutivo pone en práctica las normas recibidas del órgano directivo; y el órgano de control verifica el cumplimiento de las normas establecidas por el directivo y llevadas a cabo por el ejecutivo.

d) hombre/humano
patrimonio/patrimonial
beneficio/benéfico
información/informativo
empresa/empresarial
mantenimiento/mantenido
producción/productivo
naturaleza/natural
seguridad/seguro
dirección/directivo

3.1

a) hombres de negocios-unidad económica; b) recursos; c) filiales; d) domicilio social; e) transnacionales; f) vinculación; g) accionistas.

3.2

a) Estados Unidos se llevó la parte del león; b) las inversiones de la Europa continental se desarrollaron, sobre todo, en el curso de los últimos diez años; c) según el estudio del profesor B. Lietaer... el autor defiende la tesis de que una mayor colaboración... d) así pues, la importancia de dichas inversiones extranjeras reside menos... e) antes de la segunda guerra mundial... f) en el plano geográfico, cuatro países absorben más del 80 % de las inversiones.... g) ... o bien el modelo basado en la industria; h) en América Latina las empresas europeas deberán superar...

Sopa de letras:

F	I	N	A	N	C	I	A	C	I	O	N				
					I	N	I	C	I	A	T	I	V	A	
D			E												L
I				M										A	
S					P								N		
T					C	R	E	D	I	T	O	O			
R						I	E				I				
I						E		S		C					
B						S			A						
U						G		N							
C						O	I	L	O	P	O	N	O	M	
I	N	O	I	C	A	T	R	O	P	M	I				
O					L										
N				U		I	N	V	E	R	S	I	O	N	
			M												

VI. EL SISTEMA FINANCIERO

1.2

a) vienen dadas por el Ministerio de Economía; b) al Banco de España, en 1856; c) del Estado y se limitan las operaciones del Banco de España; d) la emisión y administración de billetes de curso legal, información y asesoramiento del Gobierno, inspección de la Banca privada y centralización de reservas y pagos exteriores; e) servir de órgano permanente de relación de las entidades con el Ministerio, coordinarlas, inspeccionarlas y controlarlas; proveer a éstas de recursos para que cumplan sus fines y transmitir las instrucciones que deban cumplir para sus actividades; f) obligar a los bancos nacionales y extranjeros que se adscriban a él y le envíen periódicamente balances y cuentas de resultados; interpretar las normas gubernamentales respecto a las tarifas bancarias, designar consejeros del Banco de España; transmitir las peticiones, informes, etc., de la banca privada a los Ministerios y recoger los usos y costumbres mercantiles de tipo bancario; g) peticiones para la creación de nuevos bancos y apertura de oficinas bancarias en España y en el extranjero para los bancos españoles; modificaciones jurídicas de las empresas bancarias; autorización de acuerdos de absorción y fusión y traspaso de oficinas; fijación de tipos de interés y comisión de las operaciones; creación de cámaras de compensación e imposición de sanciones; h) la total independencia de las entidades que la integran; i) proponer los días y horas para las sesiones bursátiles, los aranceles de los colegios y mediadores, el formato de los libros-registro de los agentes y corredores de Bolsa; informar los recursos de alzada contra los acuerdos de las juntas sindicales respecto a la admisión o exclusión de valores, y preparar criterios de admisión, permanencia y exclusión de valores en las Bolsas.

2.1

a) necesidades, a la Bolsa, títulos; b) agente de Cambio y Bolsa, intermediario; c) dinero, necesitan, créditos, documento; d) compromiso; e) empresa, han colocado, secundario; f) transacciones, parquet; g) pasar, reglas, garantía.

3.1

objetivo: fin, finalidad, meta, sentido, centro, propósito, intención;
creado: hecho, engendrado, inventado, producido, elaborado, fundado, instaurado;
tropiezos: dificultades, errores, problemas;
corregir: enmendar, reformar, modificar, subsanar, mejorar;
decisivo: definitivo; concluyente; irrevocable; terminante; resolutivo.

3.2

decisión: decidir, decisivo, indeciso, decidido, decisorio, decididamente, decidirse;
financiar: financiación, financiero, finanza;
social: sociabilidad, sociable, insociable, socialismo, socialista, socialización, socializador, socializante, socializar, sociedad, socio;
centrada: descentrar, centrar, centralizar, centralizador, centro, centralita, central, centralización, centralismo, centralista, céntrico;
operaciones: ópera, operar, operable, operador, operante, inoperante, operarse, operario, operativo, cooperativa.

3.3

a) Fondo Europeo de Desarrollo; b) contribuir al desarrollo del Mercado Común en beneficio de la comunidad; c) financiar determinadas operaciones (reformas estructurales y de precios) en el marco de la política agrícola común.

4.1

a) de imposición a plazo fijo o libreta de ahorro; b) el extracto de la cuenta que mensualmente envía el banco a sus clientes; c) una cuenta corriente; d) que a su titular le corresponde percibir cierta cantidad de dinero por la suma que hay en ella depositada; e) es la persona que figura como dueña de la cuenta, o que está acreditada, y por lo tanto tiene derecho sobre la misma; f) en la fecha de su vencimiento; también antes, pero se pierden intereses; g) a través de la cuenta corriente; h) es un contrato entre el banquero y el cliente; i) las imposiciones del titular, las de terceros, las transferencias a su favor, etc. Es decir, los ingresos; j) las retiradas de fondos por parte del cliente y otras salidas de dinero. Es decir, los reintegros.

4.3

Correspondencia con su banco:

a) *Domiciliación de pagos:*

lugar y fecha

Banco... (o Caja).

Agencia... (o sucursal n.º)

Muy Sres. míos:

Ruego a ustedes que, a partir de esta fecha y hasta nuevo aviso, se sirvan pagar con cargo a mi cuenta corriente o libreta de ahorro n.º.......... los recibos de la Compañía de Gas/Electricidad/Telefónica de mi vivienda, situada en la calle .... n.º.... piso ....., que figuran a mi nombre.

Aprovecho la ocasión para saludarles atentamente

(firma)

b) *Suspensión de domiciliación de pagos:*

lugar y fecha

Banco ......

Sucursal......

Muy Sres. míos:

Les ruego que a partir del próximo mes de .... dejen de atender los recibos correspondientes a ...., por haberme dado de baja del mismo.

Supongo que no los pasarán al cobro, pero ante la posibilidad de error, les ruego tomen nota de ello.
Reciban un cordial saludo

(firma)

c) *Cancelación de cuenta:*

lugar y fecha

Banco ......

Sucursal ......

Muy Sres. míos:

Agradecería cancelasen mi cuenta corriente n.º........., traspasando el saldo que hay en ella a mi libreta de ahorro n.º.........

Atentamente

(firma)

d) *Pago por cuenta de ahorro:*

lugar y fecha

Banco ......

Sucursal ......

Muy Sres míos:

Agradecería que, de no disponer en mi cuenta corriente n.º......... del dinero suficiente para efectuar algún pago domiciliado en la misma, se sirvan utilizar el depositado en mi cuenta de ahorro n.º..........

Atentamente les saluda

(firma)

VII. LOS TRIBUTOS

1.1

a) porque existen tres niveles de Gobierno: estatal, regional o federal y local; b) mediante los ingresos públicos: los patrimoniales y los tributos; c) para contribuir al gasto público; d) las tasas; e) por herencia es un impuesto de control o complementario; por consumo de tabaco es un impuesto secundario, y sobre las ventas es un impuesto básico.

1.3

a) directos; b) subjetivos/personales; c) periódicos; d) instantáneos; e) objetivos; f) contribuyente: ciudadano, pagador. Pagar: abonar, ingresar. Monofásico: una sola fase/período/aspecto. Súbdito: ciudadano de un país. Gravar: imponer, cargar. Impuesto «en cascada»: impuesto sobre el valor total de las ventas en cada fase. Contraprestación: la recibida a cambio de un servicio o bien. Deducción: descuento, rebaja, disminución. Circunstancia personal: situación particular o especial de una persona. Sucesión: herencia, descendencia, continuación.

2.1

a) estar en marcha: desarrollarse, empezando a funcionar;
b) complejo: complicado. Se aplica a un asunto en que hay que considerar muchos aspectos;
c) sanción: confirmación por alguien de la legitimidad de un acto. Castigo que una acción lleva consigo;
d) abuso de confianza: hacer uso indebido, aprovecharse de una situación de amistad, familiaridad;
e) constatación: visión cierta y manifiesta de una cosa;
f) adopción: tomar como propia una costumbre, etc;
g) imperativo constitucional: mandato en la Constitución;
h) gasto público: cantidad de dinero que se gasta para el sostenimiento del Estado, etc.

2.2

a-3. b-5. c-4. d-6. e-1. f-2.

3.3

a) de, de, de. b) en, para. c) en, de, de, por. d) sobre. e) con. f) por. g) de. h) con.

3.4

PAISES EN LOS QUE SE HA INTRODUCIDO EL IVA

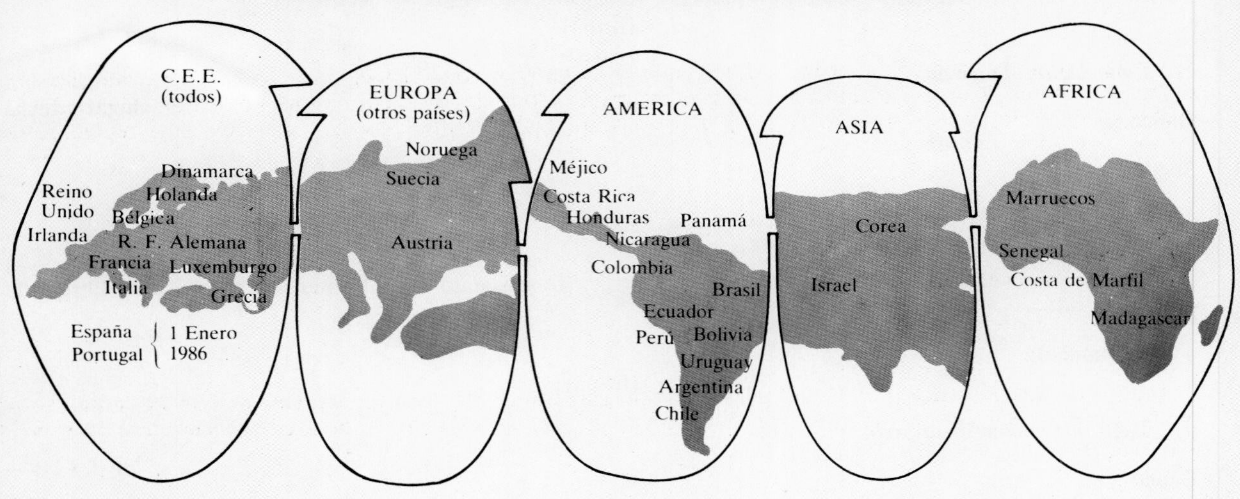

4.1

a) 5 + 7, 5 + 8, 5 = 21.
b) 8,5 pesetas.
c) 21 (acumulación) - la parte del ITE calculado sobre el ITE, que era coste de la fase anterior (piramidación).
d) 21.
e) No, porque la realidad es que la carga acumulada de aquel puede ser mayor a la de éste.

5.1

a) ¿qué le va a suponer al ciudadano medio la entrada en la CEE?
b) ¿por ejemplo, en qué ámbito?
c) ¿por qué es necesario el IVA?
d) ¿qué tipo de cambio va a exigir?
e) ¿en qué se diferencia del ITE?
f) ¿por qué hay que coleccionar las facturas que sean entregadas?
g) ¿va a tener el IVA una aplicación estricta?
h) ¿quiere explicar los tres tipos de gravámenes?
i) ¿en cuánto se estima el incremento de los precios?
j) ¿algún efecto psicológico?

Sopa de letras

			R	O	D	I	M	U	S	N	O	C	
			F										
				A	G	R	A	V	A	M	E	N	
P	R	O	Y	E	C	T	O						
					A	T	R	I	B	U	T	O	
					D		U						
					N			R					
					E	E	D	U	A	R	F		
					I								
		S	A	N	C	I	O	N					
					A								
					H								
		N	O	I	C	A	R	G	E	T	N	I	
C	O	N	T	R	I	B	U	Y	E	N	T	E	

VIII. LOS SEGUROS

1.2

a) póliza; b asegurado; c) la suma de dinero que el asegurador paga al asegurado en caso de producirse un siniestro; d) que el riesgo sea incierto. De haberse producido el daño objeto del mismo con anterioridad a la contratación, el documento sería nulo; e) proporcionar seguridad frente al riesgo; f) prima; g) indemnizatoria y de previsión o ahorro.

1.3

a) cubrir; b) arriesgar; c) asegurar; d) contratar; e) indemnizar; f) prestar; g) responsabilizar/se; h) prever; i) dañar; j) capitalizar.

2.1

I-c. II-d. III-d. IV-b. V-b.

4.2

El coaseguro se caracteriza por la multiplicidad de aseguradores, cada uno responsable directo de la parte cubierta. En el reaseguro, el asegurado trata sólo con un asegurador, el cual, a su vez, se asegura con otros aseguradores.

4.3

desviación, automóvil, función/funciones, médico, fórmula opcional, dinámica/dinamismo, mínimo/máximo, solvencia, vital, cuantía.

IX. EL COMERCIO EXTERIOR

1.1

a) sí; b) hay que realizar grandes esfuerzos para ello; c) en los países latinoamericanos en crisis y los de la OCDE; d) con una serie de reformas de la financiación y servicios de promoción comercial; e) consignar es asignar; señalar en un presupuesto cierta cantidad para un fin determinado; f) el Instituto Nacional de Fomento de la Exportación; g) ayuda al exportador mediante: información y análisis, planificación, ferias, etc.; h) con sus propios medios y con la red de oficinas comerciales de España en el extranjero; i) personal.

1.2

a) exportar
b) promover, hacer promoción
c) fomentar
d) desacelerar
e) distribuir
f) aplicar
g) financiar
h) continuar
i) colaborar
j) planificar

2.1

a) Organización Europea de Cooperación Económica.
b) Comunidad Económica Europea.
c) Comunidad Europea de la Energía Atómica.
d) Comunidad Europea del Carbón y del Acero.
e) Unión Europea de Pagos.
f) Comunidad Europea de Defensa.

2.2

16 de abril de 1948: creación de la OECE.
19 de septiembre de 1950: creación de la UEP.
9 de mayo de 1950: Declaración de Robert Schuman.
18 de abril de 1951: creación de la CECA.
1953: mercados de la chatarra, carbón y acero.
1955: planteamiento del Mercado Común.
26 de junio de 1956: inicio de las negociaciones en Bruselas.
25 de marzo de 1957: firma del Tratado del Mercado Común y del Euratom.
1 de enero de 1958: entrada en vigor del Tratado.

2.4

Europa. En contraposición al Nuevo Continente, América. Son llamados los Seis los países que firmaron el tratado de Roma: Alemania, Francia, Italia, Holanda, Bélgica y Luxemburgo. Posteriormente, el Mercado Común se amplió con tres nuevos países (Reino Unido, Irlanda y Dinamarca), a los que se unió más tarde Grecia, y desde el 1 de enero de 1986, España y Portugal.

4.1

a) evitar las demoras u obstáculos en el cobro de las exportaciones; b) desde 1920 y sobre todo a partir de la década siguiente; c) es un convenio mediante el cual un banco o entidad emisora del crédito, de acuerdo con las instrucciones dadas por su cliente, se compromete a efectuar un pago de mercancías a un tercero, beneficiario o vendedor; d) los revocables y los irrevocables; e) el irrevocable; f) los plazos más frecuentes son a uno, tres y seis meses, aunque existe la posibilidad de prórroga; g) la factura, el conocimiento del embarque y la póliza de seguros; h) a la falta de conocimiento de las Reglas y Usos Uniformes del Crédito Documentario, al descuido en la presentación de la documentación (plazos y detalles) y a la intención de fraude de una de las partes. Así como las dificultades peculiares de algunos países.

4.2

a) mecanismo de pago es la manera de producirse el pago;
b) el 25 %;
c) instrumento es un medio, en este caso un documento público que sirve para hacer constar un acto de consecuencias jurídicas. Convenio es un acuerdo;
d) cláusula es cada una de las condiciones o disposiciones presentadas en un contrato o documento análogo;
e) que se puede anular;
f) que no se puede anular, revocar o invalidar;
g) que ofrece seguridad;
h) sin demora, después de ser presentado al cobro;
i) obstáculos en su funcionamiento;
j) malicia, mala intención;

5.1

a-3
b-6
c-8
d-5
e-7
f-4
g-1
h-2

5.2

permiso, producto, coste, consolidación, análisis, demostración, estímulo, potencia, promoción, distribución.

6.3.A

«El aceite de oliva: un lujo culinario», el orden correcto es: b-d-f-a-g-e-c.

6.3.B

a) 500.000 toneladas anuales; b) 100.000; c) a granel; d) fray Junípero Serra y José de Gálvez en el siglo XVIII; e) la palmera datilera, la vid, la higuera y el granado; f) que encabeza la producción española de aceite de oliva; g) El Garcel; h) un elemento importante: un símbolo y un imprescindible aditamento culinario o usado en medicina; i) marcas españolas de aceite; j) aceite de oliva.

X. EL MUNDO DEL PRODUCTO

1.A.1

a) la agricultura española siempre ha carecido de visión comercial, y en la coyuntura actual (innovaciones tecnológicas, exigencia de los consumidores, etc.), unido al ingreso en la CEE, deberá cambiar si quiere ser competitiva. Una solución podría ser la cooperativa;
b) por su explotación de tipo familiar, o como pequeña o mediana empresa; en una palabra, dentro de límites más bien estrechos;
c) por la adhesión a la CEE;
d) el cooperativismo;
e) la innovación tecnológica, la mecanización, los nuevos sistemas de cultivo y las exigencias del consumidor. En resumen, mejorar productividad y competitividad;
f) conseguir calidad, cantidad y diversidad para satisfacer la demanda interior y exterior de forma regular;
g) el cooperativismo podría ser un medio para conseguir que la explotación agraria familiar mejorase su nivel de renta;
h) un valor añadido adicional. Mediante las nuevas tecnologías;
i) creación de puestos de trabajo.

1.A.2

a) estructura: estructurar, estructuración, estructural;
b) agricultura: agrícola, agricultor;
c) competir: competidor, competición, competente, incompetente, competentemente, competencia;
d) sofisticada: sofisticar, sofisticación, sofisticadamente, sofista;
e) asociacionismo: asociar, asociarse, asociación, asociado, asociamiento, socio;

f) abastecer: abastecerse, abasto, abastecimiento, abastecedor, desabastecer;
g) cooperativo: cooperar, cooperación, cooperador, cooperante, cooperativismo, cooperativista, cooperativa;
h) satisfactoriamente: satisfacer, satisfacción, satisfacerse, satisfecho, insatisfecho;
i) moderniza: modernizar, moderno, modernamente, modernidad, modernismo, modernista;
j) mecanización: mecanizar, mecanismo, mecanicismo, mecánicamente, mecánico.

1.B.1

a) ingresos principales, medio de vida; b) producto que se da en el trópico, precisando unas determinadas condiciones climatológicas; c) sobra producción. Casi constantemente hay más oferta que demanda; d) reducir la situación problemática, crítica; e) consideran que no se ofrece una solución rentable; f) se muestra reacio. No responde afirmativamente; g) Es necesario esperar; h) subir el precio de venta del producto en el interior del país.

1.C.1

a) consumía; b) cosecha; c) impuestos; d) VQRPD; e) producción, climáticos.

2.1

a) su definición; b) es un concepto nuevo que requiere un vocablo nuevo, y porque supone un conjunto de acciones, una nueva forma de gestión; c) porque las posibles traducciones son demasiado específicas y no abarcan el concepto en toda su extensión; d) omite el diseño del producto; e) (contestación personal); f) no, porque el márketing existe en función del consumidor, ya que trata de hacerle llegar el producto o servicio que responde a las necesidades de éste.

g) (contestación personal);

h) investigando el mercado para conocer sus necesidades y poder salir al paso de éstas de la manera más conveniente;

estrategia es un término de origen militar que se utiliza en el campo empresarial para designar el arte, la habilidad y técnica de combinar los diferentes medios y líneas de actuación que tiene la empresa para alcanzar los objetivos fijados. De esta forma, existe en la empresa una estrategia financiera, una estrategia comercial, una estrategia productiva, etc.;

táctica, que también es un término de origen militar, supone la puesta en práctica de diferentes medidas ante acontecimientos no previstos que se presentan en el nivel de la realización;

el servicio comercial es necesario precisamente para poder atender satisfactoriamente al consumidor. Como labor de mantenimiento.

2.3

(Su dirección)

Madrid (fecha)

Muy señor mío:

En contestación a su amable petición, tenemos el gusto de remitirle el folleto correspondiente al Seminario de Introducción al Márketing, en el que podrá comprobar los datos que nos solicitaba.

Asimismo le rogamos nos remita a la mayor brevedad posible el boletín de inscripción cumplimentado, en el caso de que desee inscribirse en dicho Seminario.

En espera de su comunicación, le saluda atentamente

(firma)

3.A.1

a) canales de distribución; b) distribución; c) se obtiene un producto distinto, con lo que comienza otro canal de distribución de este producto transformado; d) intermediarios - consumidores - canales de distribución; e) cortos - largos; f) cuando los productos pasan del productor al consumidor directamente o a través de un minorista, es decir, con un único intermediario como máximo; g) cuando existen dos o más intermediarios entre el fabricante y el consumidor; h) aquel comerciante por el que pasan las mercancías para llegar del productor al consumidor; i) el de fabricante a consumidor final, es decir, canal corto.

3.A.3

a) etapa: cada parte de una acción o proceso que se va llevando a cabo. Cada trayecto que se anda en una marcha;
b) fabricante: la persona que elabora o produce algo;
c) consumidor: la persona que compra los productos de la industria o de la agricultura, etc.;
d) agente: persona que realiza ciertas gestiones por cuenta de otra;
e) transportista: quien lleva cosas de un sitio a otro sirviéndose de un vehículo;
f) sucursal: cada uno de los establecimientos dependientes que tiene una misma empresa en lugares distintos;
g) consignatario: persona que tiene o administra algo en depósito. En un puerto, la que representa al armador de un buque en los asuntos relacionados con la carga y pasaje;
h) exportador: persona que envía géneros a otro país;
i) importador: aquel que introduce en un país mercancías de otro;
j) producto de consumo inmediato: artículo que hay que comer, beber o gastar en seguida, a continuación de la compra.

3.B.2

hipermercado: comercio de libre servicio cuya superficie de venta es superior a 2.500 m^2;
supermercado: comercio cuya superficie de venta está comprendida entre 400 y 2.500 m^2;
autoservicio: comercio en el que el cliente accede libremente al producto.

3.C.1

a) código: codificación, codificador, codificar;
b) amplitud: ampliar, ampliable, ampliación, amplificador, amplificante, amplificar, amplio;
c) lector: lectivo, lectorado, lectoral, lectoría, leer, lección, lectura, leedor, legible;
d) carácter: caracterizado, caracterizar, caracterizarse, caracterología, característico;
e) pequeño: empequeñecer, pequeñajo, pequeñez, pequeñito, pequeñarra, pequeñín, pequeñuelo;
f) caja: cajera, cajetilla, cajear, cajetín, cajilla; cajista, cajón, cajonera;
g) simbolización: símbolo, simbolizar, simbólico, simbolismo, simbolista, simbolizable;
h) precio: preciado, apreciar, despreciar, preciarse, preciosamente.

3.C.2

a) el código EAN es un conjunto de barras y números, representados en la etiqueta del producto, que permite ser leído automáticamente por la caja de salida y facilita así el control e identificación del mismo.
b) barras: en este contexto, listas, rayas o bandas;
c) FLAG: es el conjunto de los 13 caracteres que componen el código de barras;
d) *stock:* existencias, surtido de productos;
e) *scanner:* lápiz lector. Dispositivo que sirve para la exploración de algo;
f) dígito: número formado por una sola cifra, es decir, los comprendidos del 1 al 9;
g) tránsito rápido: tardar poco tiempo en ir de un sitio a otro, en pasar por caja para pagar;
h) error de marcaje: equivocación al poner un signo distintivo (precio, etc.);
i) control de inventario: comprobación de la lista de las cosas valorables, mercancías, etc.
j) comprobante de caja: recibo o documento que justifica las partidas de una cuenta; en este caso, el pago en la caja registradora de un comercio.

4.A.2

La campaña publicitaria es el conjunto de mensajes publicitarios organizados y planificados para alcanzar unos objetivos determinados. La duración de las campañas publicitarias es muy variable; algunas se llevan a cabo en unos días, mientras que otras pueden durar un año. Su duración depende realmente de los objetivos perseguidos, de los medios utilizados y del presupuesto asignado a la misma.
La comercialización de un producto es un fenómeno complejo que ha de tener en cuenta:

— identificación del producto (marca, acondicionamiento o diferenciación, fijación de precios);
— puesta en el mercado: distribución, organización de su venta;
— promoción: medios.

El lanzamiento de un producto nuevo a través de una campaña de publicidad puede hacerse comenzando, primero, por una región o zona, por el método de «mancha de aceite», que consiste en iniciar la campaña en un punto dado de una región y luego ir extendiéndola, o bien hacer un lanzamiento a través de todo el país y en una sola vez.
Entre los medios de lanzamiento podemos señalar:

— medios de informacion: equipo de ventas, distribuidores, clientes;
— medios de promoción: presentación, demostración.

Plan de lanzamiento:

— fecha;
— presupuesto;
— medios;
— preparación comercial: de los hombres y de los distribuidores;
— acción comercial: colocación del producto, iniciación de la acción publicitaria;
— control de la operación (estadísticas, informes).

4.B.1

a) por qué se va a escribir el mensaje, de qué va a tratar el mensaje, a quién va dirigido; b) ya que tiene que acertar con el léxico, contenido y orientación del mensaje. En ello consiste la motivación; c) del tipo de comercio, motivo del anuncio, tipo de producto y posible consumidor; d) ante todo, el léxico debe ser sencillo. Por tanto, no se deben usar tecnicismos, pero sí palabras familiares, porque se reciben con mayor agrado y por tanto con mayor receptividad; e) porque el mensaje va dirigido a una segunda persona, por lo que es necesario personalizar y dar más fuerza al texto para motivar la compra; f) no conviene que sea explícita, para interesar más al cliente e incluso «hacerle cómplice»; g) gusto por la propiedad, afán de figurar, novedad, previsión. Preocupación por ganar tiempo. Salud, agradar, emular, confort, comodidad.

5.A.1

a) mediante su inscripción en el Registro de la Propiedad Industrial (patentes y marcas); b) un organismo autónomo adscrito al Ministerio de Industria; c) reconocimiento y protección de la propiedad industrial, información y aplicación de convenios internacionales, promoción de iniciativas y otras actividades; d) como una forma más de protección de las manifestaciones de la propiedad industrial y para tener al día a toda persona interesada en estos temas; e) un certificado mediante el cual se reconoce el derecho a utilizar y explotar una invención de la industria; f) la patente de invención confiere a los concesionarios el derecho exclusivo de fabricar, ejecutar y producir, vender o utilizar el objeto de la patente como explotación industrial. La patente de introducción no da derecho a impedir que otros introduzcan objetos similares del extranjero; g) un nombre, término o diseño, o combinación de ellos, que se utiliza para identificar un producto o unos servicios frente a los competidores; h) el nombre es la parte fonética de la marca (letras y números); el logotipo está formado por los dibujos, colores o representaciones gráficas; i) los signos que se emplean en el comercio o en la industria para diferenciar un producto de otro.

5.A.2

a) libro, cuaderno o documento donde se anotan ciertos datos que deben constar permanentemente; b) certificado. Documento expedido por una autoridad en que se acredita un derecho o que da permiso para algo; c) utilización, aprovechamiento; d) acuerdo, tratado entre países; e) fomentar o activar ideas, decisiones o inventos; f) signo, señal, distintivo; g) dibujo adoptado por una fábrica para distinguir sus productos; h) dibujo o representación de una marca; i) cartel, letrero, inscripción en el exterior de una tienda o establecimiento que anuncia el nombre o la clase de éste; j) persona o cosas de un país que no es propio del que habla.

5.B.1

a) con esta expresión se designa un nombre geográfico en una marca; b) porque señala un lugar determinado de fabricación, elaboración o extracción de un producto; c) lo es cuando está registrada. Una marca colectiva es la que puede ser utilizada por diferentes personas o entidades cuando sus actividades o productos tienen unas características comunes; d) solicitándola ante la Administración, y tras los exámenes técnicos positivos se obtiene el reconocimiento con carácter provisional; e) los vinos; f) otros productos agrarios, como el queso y el jamón; g) condiciones ecológicas, tipo de ganado y variedad de materias primas; h) el Roncal es un valle que se encuentra en el Pirineo navarro. La Mancha es una región natural de la submeseta sur, al este de Ciudad Real, Montes de Toledo y Campo de Calatrava. Mahón es una población de la isla de Menorca, en las Baleares. Cabrales está situado en la parte norte de los Picos de Europa, en Asturias.

5.B.2

a) hacerse cargo de funciones, de responsabilidades; b) asegurar, dar solidez, reforzar, fijar; c) organización, disposición; d) son afirmativos. Dan conformidad para que se conceda la denominación de origen; e) estar unido, vinculado. Ir unido a; f) del lugar o región geográfica; g) al pasar el tiempo, al cabo de los años; h) desde, a partir de 1974; i) una gran variedad, muchas posibilidades. Como la apertura de un abanico: formado por varias varillas que salen radialmente de un punto; j) calidades o circunstancias de las relaciones entre los animales y el medio ambiente en que viven.

5.B.3

Orden de los párrafos correspondientes a los vinos: d-f-a-g. Corresponden a los jamones: c-b-e.

XI. LAS ADUANAS

1.1

a) es de origen árabe, y significa oficina; b) a las oficinas establecidas por la Administración en los puertos, fronteras y aeropuertos; c) recaudar los derechos arancelarios y fiscalizar la entrada y salida de mercancías de un país; d) no siempre. Existen puertos francos a través de los cuales pueden pasar mercancías sin tener que pagar impuestos o derechos; e) un gravamen que los Estados aplican a la importación de bienes o servicios en sus respectivos países; f) derechos específicos, *ad valorem,* derechos mixtos, derechos alternativos y derechos estacionales. Otro más es el arancel autónomo y convencional o tarifa arancelaria contractual. Y además, puede ser de tarifa única, doble y de tarifa de más de dos columnas; g) el arancel autónomo está fijado por un solo país y el convencional se fija mediante acuerdo entre las partes interesadas; h) el arancel de importación; i) el 30 de mayo de 1960, al entrar España a formar parte de los organismos internacionales de cooperación económica, tuvo que reestructurar sus aranceles.

3.1

a) F	d) V
b) V	e) F
c) F	f) V

4.1

a) 18 de febrero de 1960; b) Asociación Latinoamericana de Libre Comercio; c) como un proyecto de integración económica. Su objetivo básico era conseguir la plena liberación comercial entre las partes contratantes; d) en Uruguay; es su capital; e) las listas nacionales son aquellas por las cuales cada país miembro tenía que conceder rebajas arancelarias anuales del 8 %, como media ponderada respecto del arancel vigente a terceros países. Por la lista común las partes contratantes se comprometían a liberar totalmente el 25 % del comercio intrazonal cada tres años; f) las diferencias entre los distintos países que la integraban: nivel de desarrollo y volumen económico. No se pudo cumplir el calendario, ni en las listas nacionales ni en la común, es decir, no se cumplía el tratado de Montevideo; g) por el protocolo de Caracas, se aplazó el objetivo del desarme arancelario total; h) Caracas es la capital de Venezuela.

4.3
a) 4. b) 6. c) 7. d) 9. e) 10. f) 11. g) 12. h) 3. i) 1. j) 8. k) 5. l) 2.

5.1
a) ha de quedar; b) ustedes reduzcan; c) produzcan; d) adoptar, las adoptaré; e) acordado; f) te fijes; g) renunciásemos.

5.2 (por ejemplo)
A: Alemania, Austria
R: Rumanía, Rodesia
A: Argentina, Albania
N: Noruega, Nicaragua
C: Colombia, Cuba
E: Ecuador, España
L: Libia, Líbano

5.4

Sopa de letras

				C	O	N	T	I	N	G	E	N	T	E			
		L													G		
		I			O	F	I	C	I	N	A				R		
		B													A		
		R								A					V		
		E								D					A		
		C						A		U					M		
		A					T			A				T	E		
		M				S				N				R	N		
		B			I					A				A		A	
		I		L	A	N	O	I	C	A	T	S	E	M		I	
		S												I		R	
		T												T		O	
		A												A		T	
														C		S	
			D	E	S	A	R	M	E					I		E	
														O		G	
														N			

XII. EL TRANSPORTE

1.B.4
energía, línea, comunicación/comunicaciones, analogía/análogo, más de lo preciso, canon, interés/intereses, hallándome, máquina, país, férreo, categoría.

1.C.1

a) a la navegación fluvial o por canales que pone en comunicación a varios países; b) carece de importancia; c) en Holanda, Alemania, Bélgica y Francia; d) está atravesando una situación inquietante; e) debido al exceso de capacidad en el mercado mundial; f) en razón a sus tarifas que resultan sumamente bajas.

1.C.2

a) con, en; b) de, a través de. c) para. d) en. e) a, de. f) por.

1.D.1

a) la gran revelación del transporte colectivo; b) Asociación Internacional de Transporte Aéreo; c) establecer las normas por las cuales se rige el transporte aéreo; d) que han perdido gran parte de sus clientes, y por lo tanto tienen grandes pérdidas económicas, debido a las compañías *charter*; e) es la compañía aérea que lleva a cabo vuelos no regulares; f) barajar se emplea en el juego de cartas para indicar la separación de éstas en dos partes, desordenándolas y volviéndolas a juntar, de modo que entren las de un montón en las del otro. En sentido figurado, barajar cifras significa manejar muchas cifras en una exposición, conferencia o informe; g) liberar los controles sobre el tráfico aéreo; h) si las compañías americanas comienzan a operar en los vuelos internacionales, obligarán a reaccionar a las compañías de los demás países.

2.1

a) por el volumen de pasajeros y mercancías que transporta y las implicaciones que esto tiene en la economía de los países; b) en 1973 se inicia y se toman acuerdos, pero no será realmente definitiva hasta el otoño de 1977, año en que se reunió el Consejo de Transportes; c) el desarrollo de las infraestructuras nacionales y el mejoramiento progresivo de la posición financiera y comercial de los ferrocarriles; la cooperación entre los Estados y el enfoque multimodal en lo que respecta al transporte combinado; la regulación de pesos y dimensiones de los vehículos; d) en el transporte por barco, vigilancia del mercado y tarifas de referencia; e) en el transporte aéreo, se aconseja vinculaciones más estrechas con organizaciones internacionales, así como otras diversas medidas referentes a la competencia entre los puertos, horarios de verano, condiciones de trabajo y permisos de conducción.

2.2

vínculo, doméstico, número, infraestructura, dotación, así mismo, tarifa, ámbito, condición/condiciones, asimismo.

3.1

a) punto de origen es el de partida, salida o producción. El punto de consumo es el lugar de destino o de venta;
b) un camión de reparto es un vehículo de pequeño tonelaje mediante el cual se distribuyen las mercancías;
c) cuasi o casi monopolizado significa que un nombre es aplicado a la cosa de que se trata por parecido o aproximación, es este caso, monopolizado;
d) número de vagones de ferrocarril, en ocasiones con características especiales para productos determinados, propiedad de una empresa;
e) es un vagón de ferrocarril acondicionado para producir frío y poder conservar en buen estado las mercancías transportadas en él;
f) producto perecedero es aquel de carácter temporal, que no perdura, que hay que consumir pronto;
g) paquetería, tipo de mercancías que se guardan en paquetes;
h) agrios, conjunto de frutas agrias (naranja, limón y semejantes) o ácidas.

3.2

a) el porteador es la persona que, a cambio de un precio, se obliga a trasladar una mercancía o una persona de un lugar a otro; b) el remitente es quien contrata con el porteador para que éste le transporte la mercancía; c) el consignatario es la persona que tiene que recibir la mercancía, a la que hay que entregársela, y puede ser el propio cargador o una tercera persona; d) a porte pagado quiere decir pagado el servicio por el cargador que entrega la mercancía; e) a porte debido significa que el consignatario pagará el servicio.

APENDICES

A) CORRESPONDENCIA Y COMUNICACIONES

1) Partes componentes de una carta:

Membrete: Conjunto de datos que da a conocer la empresa, razón social o persona que la escribe. Igualmente, la actividad a que se dedica la empresa, domicilio y población.

Fecha: Madrid, 22 de diciembre de 1985

Destinatario y dirección: Sr. D. Luis Mejía
Puertollano, 5
28000 Madrid

Referencia: *Asunto: Concesión de crédito n.° 10.001*

Saludo: Muy señor nuestro:
Tenemos el gusto de ...

Cuerpo de la carta:

Despedida: Le saluda muy atentamente,

Antefirma y firma: Banco ...
Pedro Rodríguez Santos
Director

Posdata: P. D.

a) Formas de saludo más usuales:

— Para un solo destinatario: Señor:
Muy señor mío:
Muy señor nuestro:
Estimado señor:
Distinguido señor:

— Para varios destinatarios: Señores:
Muy señores míos:
Muy señores nuestros:
Estimados señores:
Distinguidos señores:

b) Cuerpo de la carta: Es el texto de la misma. Se inicia con una breve introducción:

Hemos recibido su atenta carta de fecha ...
Acuso recibo de su carta del día ...

Confirmamos nuestra carta de fecha ...
Sin contestación a nuestro escrito de fecha ...
Nos complace comunicarle que ...
En relación con su envío de ...
Nos es grato poner en su conocimiento que ...
En contestación a su carta de ...

c) Despedida: Atentamente,
Le saludamos atentamente,
Le saluda muy atentamente,
Cordialmente,
Con atentos saludos,
En espera de sus noticias, reciba un cordial saludo,

d) Firma: Cuando la persona que firma lo hace por un poder otorgado legalmente, debajo del nombre comercial de la antefirma se añaden las palabras p.p. (por poder).
Si el firmante tiene autorización, pero no legal, se pone p.a. (por autorización) o p.o. (por orden).

e) Posdata: Es una nota muy breve que se añade a las cartas una vez escritas. Se escribe P.D. *(post data)* o P.S. *(post scriptum)*.

2) El telegrama: Es uno de los medios más rápidos de comunicación escrita. Si se manda con carácter de urgente, recibe una especial atención en el reparto, que se realiza con la máxima rapidez.
En los telegramas no se acostumbra a usar signos de puntuación. La palabra *stop* sustituye al punto cuando debe separarse alguna frase, para no inducir a confusión. La tarifa del telegrama se calcula según su número de palabras, por lo que se procurará prescindir de todas aquellas que no sean necesarias.

El cablegrama: Se envía por cable submarino, en combinación con el telégrafo. Resulta más caro que el telegrama, y en ellos hay que indicar la vía o cable que debe seguir, por ejemplo: vía cable Nápoles.

El radiograma: Se cursa por telegrafía sin hilos.

EL EXPEDIDOR DEBE RELLENAR ESTE IMPRESO, EXCEPTO LOS RECUADROS EN TINTA ROJA
SE RUEGA ESCRIBA CON LETRAS MAYUSCULAS O CARACTERES DE IMPRENTA T. G. - 1

INS. O NUMERO DE MARCACION	SERIAL	Nº DE ORIGEN	TELEGRAMA			INDICACIONES TRANSMISION
LINEA PILOTO						
OFICINA DE ORIGEN		PALABRAS	DIA	HORA	IMPORTE EN PESETAS	

INDICACIONES: DESTINATARIO:
SEÑAS:
TELEFONO: TELEX:
DESTINO:

TEXTO:

SEÑAS DEL EXPEDIDOR NOMBRE: TFNO.:
DOMICILIO: POBLACION:

UNE A-5 (148 × 210)

3) El télex: Procedimiento de transmisión de mensajes escritos, de domicilio a domicilio, mediante aparatos teleimpresores. El télex es, a la vez, transmisor y receptor.

4) Partes componentes de una instancia o solicitud:

Datos personales del interesado (nombre, apellidos, domicilio, profesión, DNI (Documento Nacional de Identidad).

Datos personales del representado, si no se actúa personalmente.
Exposición de los hechos y razones, precedidos del término
EXPONE que...
Solicitud en la que se concrete el objeto de la petición. Se inicia con la palabra SOLICITA.
Relación de documentos que se acompañan, en caso de haberlos.
Lugar y Fecha.
Firma.
Organo al que se dirige (o autoridad).

5) Circulares: Se distinguen del resto de las cartas comerciales porque con un texto idéntico, se dirigen a varias personas, empresas o entidades, en vez de a una persona en particular.
Las de comunicación sirven, entre otras cosas, para anunciar un cambio de domicilio o algún cambio en el negocio. Las publicitarias y de ventas son muy similares; las primeras se limitan a dar a conocer el producto, mientras que las segundas, además de presentarlo, hacen constar la forma de pago, destacando los plazos que se ofrecen. También pueden incluir un cupón-respuesta para recibir dicho producto en casa.

B) ABREVIATURAS COMERCIALES

A cuenta	a/c
Administrador	Admor.
Administración	Admón.
A favor	a/f
Afectísimo	Afmo. o affmo.
Apartado (correos)	Apdo. o aptdo.
Archivo	Arch.
Artículo	Art. o art.º
Atento, atenta	Atto., atta.
Auxiliar	Aux.
Avenida	Avda.
Banco	Bco. o B.
Beneficio	B.º
Besa la mano	B.L.M. o b.l.m.
Boletín Oficial del Estado	B.O.E.
Caballos de vapor	C.V., H.P.
Cada uno	c/u
Calle	c/
Cambio	c.º
Capítulo	cap. o cap.º
Cargo	cgo. o c.
Carta	C.
Carta orden	c/o.
Centígramos	cg.
Centílitro (s)	cl.
Centímetro (s)	cm.
Céntimo (s)	cént., cénts., cts.
Certificado	Cert.
Ciudad	Cdad.
Código	Cod.
Comisión	Com.
Compañía	Cía., c.ª, Comp.ª
Conocimiento de embarque	C/e.
Corretaje	cje.
Corriente	cte.
Coste, flete y seguro	C.I.F., c.i.f., cif.
Cuenta	Cta.
Cuenta abierta	cta./ab.
Cuenta anterior	cta./ant.
Cuenta corriente	c/c o cta. cte.
Cuenta nueva	Cta/n.
Cheque	ch/.
Decagramos	Dg.
Decalitros	Dl.
Decámetros	Dm.
Decígramos	dg.
Decímetros	dm.
Departamento	dpto.
Derecha	dcha.
Descuento	dto.
Día (s)	d/
Días fecha	d/f.
Días vista	d/v.
Dios mediante	D.m.
Dirección	Dron.
Director	Dtor.

Doctor, doctores	Dr., Dres.
Documento	Doc.
Don, Doña	D., D.ª
Duplicado	dupdo., dup., dupl.
Edición, editor, editorial	ed.
Efectivo	efvo.
Efecto (s)	E/ o ef.
Efecto a pagar	E/pag.
Efecto a cobrar	E/cob.
Efecto a negociar	E/neg.
Ejemplo	ej.
Eminencia	Em.ª
Eminentísimo	Emmo.
En propia mano	E.P.M.
Entresuelo	entlo.
Envío	e/
Este (punto cardinal)	E.
Etcétera	etc.
Excelencia	Exc.ª
Excelentísimo, Excelentísima	Excmo., Excma.
Exterior	ext.
Fábrica	fáb.
Factura	fra.
Fecha	fcha.
Fecha factura	f/f.
Ferrocarril, ferrocarriles	f.c., ff.cc., FF.CC.
Folio	f.º, fol.
Franco (s)	fr., frs.
Gastos	gtos.
Gastos generales	gtos., grles.
General, generales	gral., grles.
Giro	g/
Giro postal	G.P., g/p., g.p.
Giro telegráfico	G.T., g/t., g.t.
Glorieta	gta.
Gramo (s)	g., grs.
Gran velocidad	g.v.
Hectárea	Ha.
Hectogramo	Hg.
Hectolitro	Hl.
Hectómetro	Hm.
Hermanos	Hnos.
Idem, lo mismo	Id.
Ilustre	Iltre.
Ilustrísimo, ilustrísima	Ilmo., Ilma.
Importe	Impte.
Impuesto	Impto.
Impuesto Gral. de Tráfico de Empresas	I.G.T.E., I.T.E.
Interior	int.
Juzgado	Juzgº.

Kilociclo	Kc., kc.
Kilogramo	Kg., kg
Kilolitro	Kl.
Kilómetro	km.
Kilómetro cuadrado	km^2
Kilómetro por hora	km./h., km/h.
Letra de cambio	L/.
Libra(s) esterlina(s)	£
Licenciado, licenciada	Ldo., Lda.
Limitada	Ltd., Ltda.
Líquido	Liq.º
Liras	L.
Lo mismo	Ídem, id.
Máximo	Máx.
Meses	m/.
Meses fecha	m/f.
Meses plazo	m/p.
Meses vista	m/v.
Metro(s)	m., mts.
Metro cuadrado	m^2
Metro cúbico	m^3
Mi	m/
Mi cargo	m/cgo., m/c.
Mi cuenta	m/c.
Mi factura	m/fra.
Mi favor	m/f.
Mi giro	m/g.
Mi letra	m/l.
Mi orden	m/o.
Mi pagaré	m/p.
Mi remesa	m/r.
Miligramo(s)	mg.
Mililitro(s)	ml.
Milímetro(s)	mm.
Mínimo	Mín.
Minuto	m.
Miriagramo(s)	Mg.
Miriámetro(s)	Mm.
Modelo	Mod.
Nominal	Nom.
Norte	N.
Nordeste	NE.
Noroeste	NO.
Nuestro-tra	n/
Nuestra cuenta	n/cta.
Nuestra factura	n/fra.
Nuestra letra	n/L.
Nuestra orden	n/o.
Nuestra remesa	n/r.
Nuestro cargo	n/cgo.
Nuestro cheque	n/ch.
Nuestro favor	n/f.
Nuestro giro	n/g.

Nuestro pagaré	n/p.
Número	Núm., n.º
Orden	o/
Orden Ministerial	O.M.
Pagaré	p/
Página(s)	pág., págs.
Pasado	pdo.
Paseo	p.º
Pequeña velocidad	p.v.
Peseta(s)	pta., ptas., pts.
Peso neto	P.N.
Piezas	Pzs.
Plaza	Pl.
Por administración	P. admón.
Por ausencia	P.A., p.a.
Por autorización	P.A., p.a.
Por ciento	%
Por cuenta	p/cta.
Por ejemplo	p.ej.
Por orden	p.o., P.O., p/o.
Porte pagado	p.p.
Posdata	P.D., P.S.
Precio de venta al público	P.V.P.
Presente	pte.
Principal	pral.
Profesor	prof.
Prólogo	pról.
Pronto pago	p.p.
Provincia	prov.
Próximo pasado	ppdo.
Que estrecha su mano	q.e.s.m., Q.E.S.M.
Quintal(es) métrico(s)	Qm.
Referencia(s)	Ref., Rf.ª
Remitente	Rte.
Revoluciones por minuto	r.p.m.
Saldo	sdo.
Salvo buen fin	s.b.f.
Salvo error u omisión	s.e.u.o.
San, santo, santa	S., Sto., Sta.
Según	s/
Seguro servidor	s.s.
Señor	Sr.
Señora	Sra.
Señores	Sres., Srs.
Señorita	Srta.
Siguientes	ss., sigs.
Sin gastos	S.G.
Sin número	s/n.
Sociedad	Sdad.
Sociedad Anónima	S.A.
Sociedad en Comandita	S. en C.
Sociedad Regular Colectiva	S.R.C.
Sociedad Limitada	S.L.
Su, sus	s/
Su cargo	s/cgo.
Su casa	s/c.
Su Excelencia	S.E.
Su factura	s/fra.
Su favor	s/fv.
Su giro	s/g.
Su letra	s/L.
Su Majestad	S.M.
Su orden	s/o
Su pagaré	s/p.
Su remesa	s/r.
Su Real Majestad	S.R.M.
Su Santidad	S.S.
Su seguro servidor	s.s.s.
Sudeste	SE
Sudoeste	SO
Talón	t/
Tara	T.
Tangente	tg.
Teléfono	Tel., Teléf.
Título	Tit.
Tomo	t.
Tonelada métrica	Tm.
Toneladas	Tons.
Travesía	Trav.
Ultimo	últ.
Ustedes	Ud., Uds.
Valor	V/
Valor en cuenta	V/cta.
Valor recibido	V/r.
Véase	v.
Vencimiento	vto.
Verbigracia	v.g., v.gr.
Visto Bueno	V.º B.º
Viuda	Vda.
Volumen	vol.
Vuecencia	V.E.
Vuestra Ilustrísima	V.I.
Vuestra Excelencia	V.E.
Vuestra Señoría	V.S.

La comunicación en el comercio. IRESCO.

C) SIGLAS

AEB: Asociación Española de Banca.
AECOC: Asociación Europea de Codificación Comercial.
ALALC: Asociación Latinoamericana de Libre Comercio.
AMA: American Marketing Association.
AME: Acuerdo Monetario Internacional.
ANGED: Asociación Nacional de Grandes Empresas de Distribución.

BEI: Banco Europeo de Inversión.
BOE: Boletín Oficial del Estado.
BOCM: Boletín Oficial de la Comunidad de Madrid.

CAMP: Caja de Ahorros y Monte de Piedad de Madrid.
CAMPSA: Compañía Arrendataria del Monopolio de Petróleos.
CARICOM: Mercado Común del Caribe.
CARIFTA: Caribbean Free Trade Association.
CECA: Comunidad Europea del Carbón y del Acero.
CED: Comunidad Europea de Defensa.
CEDIN: Centro de Documentación e Información del Comercio Exterior.
CEE: Comunidad Económica Europea.
CEOE: Confederación Española de Organizaciones Empresariales.
CEPYME: Confederación Empresarial Pequeña y Mediana Empresa.
CES: Comité Económico y Social.
COMECON: Consejo de Asistencia Económica Mutua.
COPA: Comité de Organizaciones Profesionales Agrícolas.
COREPER: Comité de Representantes Permanentes.
CSB: Consejo Superior Bancario.

EAN: International Article Numbering Association.
ECU: Unidad de Cuenta Europea (European Currency Unit).
EFTA: Asociación Europea de Libre Comercio.
EURATOM: Comisión Europea de la Energía Atómica.
EUROSTAT: Oficina Estadística de las Comunidades Europeas.

FDG: Fondo de Garantía de Depósitos.
FED: Fondo Europeo de Desarrollo.
FEDER: Fondo Europeo de Desarrollo Regional.
FEOGA: Fondo Europeo de Orientación y Garantía Agrícola.
FSE: Fondo Social Europeo.

GATT: Acuerdo General sobre Aranceles y Comercio.

IATA: Asociación Internacional de Transporte Aéreo.
ICO: Instituto de Crédito Oficial.
IEME: Instituto de Moneda Extranjera.
IFEMA: Instituto Ferial de Madrid.
IGTE: Impuesto General sobre el Tráfico de Empresas.
IMAC: Instituto de Mediación y Arbitraje.
INDO: Instituto Nacional de Denominación de Origen.
INFE: Instituto Nacional de Fomento a la Exportación.
INH: Instituto Nacional de Hidrocarburos.
INI: Instituto Nacional de Industria.
IRESCO: Instituto de Reforma de las Estructuras Comerciales (hasta 1986).
ITE: Impuesto Tráfico de Empresas.
IVA: Impuesto sobre el Valor Añadido.

MCCA: Mercado Común Centroamericano.
MCE: Mercado Común Europeo.

NABALALC: Nomenclatura Arancelaria Uniforme de la Asociación Latinoamericana de Libre Comercio.
NAUCA: Nomenclatura Uniforme Centroamericana.

OCDE: Organización de Cooperación y Desarrollo Económico.
OECE: Organización Europea de Cooperación Económica.

PAC: Política Agrícola Común.
PIB: Producto Interior Bruto.
PNB: Producto Nacional Bruto.
PYMES: Pequeñas y Medianas Empresas.

RENFE: Red Nacional de Ferrocarriles Españoles.
RFF: Represión del Fraude Fiscal.

SID: Servicio de Información Bursátil.
SME: Sistema Monetario Europeo.
SMMD: Sociedades Mediadoras en el Mercado del Dinero.

TEC: Tarifa o Arancel Exterior Común.
TIR: Transporte Internacional por Carretera.

UEP: Unión Europea de Pagos.
UNICE: Unión de Industrias de la Comunidad Europea.
URSS: Unión de Repúblicas Socialistas Soviéticas.
USA: United States of America (Estados Unidos de América).

VQRPD: Vinos de Calidad Provenientes de Regiones Determinadas.

D) GLOSARIO MULTILINGÜE

Español	Inglés	Francés	Alemán
A			
Acción	share, stock	action	Aktie
Actividad económica	financial activity	activité financière	Wirtschaftstätigkeit
Activo	assets	actif	Aktiva, Vermögen
Aduana	customs	douane	Zoll
Agente de Cambio y Bolsa	stockbroker, jobber, dealer	courtier en Bourse	Börsenmakler, Kursmakler
Ahorrar	to save	épargner	sparen
Albarán	invoice, delivery note	bulletin de livraison	Lieferschein, Warenrechnung
Alta (darse de)	to enrol	s'inscrire	sich einschreiben lassen
Amortización	amortization, redemption	amortissement	Abschreibung, Tilgung
Ampliación (capital)	increase	augmentation	(Kapital-) erhöhung
Arancel	customs tariff	tarif douanier	Zoll, Zolltarif
Arbitrio	tax	taxes municipales	Steuer
Archivo	file	dossier, archives	Akte
Asalariado	wage earner	salarié	Lohnempfänger
Asiento	book entry	écriture comptable	Bucheintragung, Buchung
Aval	guarantee	aval, garantie	Aval
B			
Baja (darse de)	to resign, to drop out	cesser d'appartenir, être en congé de	sich beurlauben lassen sich abmelders
Balance	balance	bilan, balance	Bilanz
Balance de pagos	balance of payments	balance des paiements	Zahlungsbilanz

Español	Inglés	Francés	Alemán
Banco	bank	banque	Bank
Beneficio	profit, benefit	profit, bénéfice	Gewinn, Profit
Bienes	goods	biens	Güter, Vermögen
Bilateral	bilateral	bilatéral	bilateral
Bolsa de Valores	Stock Exchange	Bourse des valeurs	Wertpapierbörse
Bono	bond, voucher	bon	Gutschein, Bon

C

Español	Inglés	Francés	Alemán
Carretera	road	route	Landstrasse
Cartera de valores	portfolio	portefeuille	Anlageportefeuille
Cierre (Bolsa)	closing	clôture	Schluss
Cláusula	clause	clause	Klausel
Coaseguro	mutual insurance	assurance mutuelle	Mitversicherung
Cobertura	cover	couverture	Deckung
Cobro	cashing	encaissement	Einkassierung
Código de barras	code, flag	code barré	Strichcode
Comisión	commission	commission	Provision, Auftrag
Competencia	competition	concurrence	Wettbewerb
Consorcio	consortium	consortium	Konsortium
Contraprestación	benefit	contreprestation	Gegenleistung
Consumidor	consumer	consommateur	Verbraucher, Konsument
Consumo	consumption	consommation	Konsum, Verbrauch
Contabilidad	accountancy, book-keeping	contabilité	Buchführung
Contado (al)	cash	comptant	Bar gegen
Contenedor	container	container	Container
Contingentación	import quota	contingent d'importation	Kontingierung
Contrato de fianza	contract (security)	contrat (cautionnement)	Kautionsvertrag
Contribución	contribution	contribution	Beitrag, Steuer
Contribuyente	tax payer	contribuable	Steuerzahler
Convenio	settlement	accord, convention	Vereinbarung
Cooperativa	cooperative society	coopérative	Genossenschaft
Corredor de seguros	insurance broker	courtier d'assurance	Versicherungsmakler
Corretaje	brokerage	courtage, commission	Maklergebühr
Corro	round enclosure	parquet	Gruppe
Coste	cost	coût, frais	Kosten
Cotización	quotation	cours, cotation	Kurs
Coyuntura	situation, business cycle	conjoncture	Konjunktur
Crédito	credit, loan	crédit	Kredit
Crédito documentario	documentary credit	crédit documentaire	Dokumentenkredit
Crisis	crisis, depression	crise	Krise
Cuenta	account	compte	Rechnung
Cuenta bancaria	bank account	compte bancaire	Bankkonto
Cuenta corriente	current account	compte courant	Kontokorrent, Konto
Cuenta a plazo	fixed term	à terme	Depositenkonto
Cuota	quota	quote, part	Quote, Anteil
Cupón	coupon	coupon	Kupon, Schein

CH

Español	Inglés	Francés	Alemán
Cheque	cheque, check	chèque	Scheck

Español	Inglés	Francés	Alemán

D

Español	Inglés	Francés	Alemán
Debe	debit, liabilities	débit	Debet, Soll
Déficit	deficit	déficit	Defizit
Demanda	demand	demande	Nachfrage
Denominación de origen	appellation d'origine, denomination of origin	appellation d'origine, contrôlée	Herkunftskennzeichnung, Ursprungsauszeichnung
Depresión	depression	dépression, crise	Tiefstand, Depression
Derechos arancelarios	customs duty	droits de douanes	Zoll, Zölle
Desarme arancelario	lay out (tariff)	désarme (tarif douanier)	Zollablegung
Desempleo	unemployment	chômage	Arbeitslosigkeit
Desgravación	tax remission, relief	dégrévement	Steuerbefreiung
Detallista	retailer	détaillant	Kleinhändler
Deuda	debt	dette	Schuld
Devaluación	devaluation	dévaluation	Abwertung
Diario	day book, journal	journal	Tagebuch
Dinero	money, currency	argent	Geld
Dinero metálico	cash	espèces	Bargeld
Diseño	design	dessin	Zeichnung
Distribución	distribution	distribution	Vertrieb, Austeilung
Dividendo	dividend	dividende	Dividende
Divisa	foreign exchange	devise	Devise

E

Español	Inglés	Francés	Alemán
Economato	cooperative retail society, consumers' cooperative	économat	betriebseigenes Geschäft, Genossenschaftsladen
Efecto público	effects, securities	effet public	Staatspapier
Embarque	shipment	embarquement	Einschiffung
Emisión	issue	émission	Emission, Ausgabe
Emisión de valores	underwriting of new issues	émission des titres	Effentenemission
Empresa	firm, company	enterprise	Unternehmen
Entero	point	point	Punkt
Especular	to speculate	spéculer	spekulieren
Estadística	statistics	statistique	Statistik
Estatuto	statute	statut	Gesetz, Statut
Evasión	evasion	évasion	(Steuer) flucht
Excedente	surplus	excédent	Überschuss
Existencias	stock	stocks	Vorrat

F

Español	Inglés	Francés	Alemán
Factura	invoice, bill	facture	Faktura, Rechnung
Feria	fair	foire	Messe
Fiduciario	fiduciary	fiduciaire	treuhänderisch
Filial	subsidiary, branch	filiale	Tochtergesellschaft
Fiscal	fiscal	fiscal	Steuer-, Fiskal-
Flete	freight	fret	Fracht
Fomento	promotion	promotion	Förderung
Fondo	fund	fonds	Fonds
Fraude	fraud	fraude	Betrug

G

Español	Inglés	Francés	Alemán
Ganancia	profit	gain	Gewinn
Garantía	guarantee, warranty	garantie	Garantie

Español	Inglés	Francés	Alemán
Gastos	expenditure	dépense, frais	Ausgaben, Kosten
Giro postal	postal order	mandat postal	Postanweisung, Postüberweisung
Granelado	bulksale, sale by bulk	en vrac	in grosser Menge
Gravar	to burden, to tax	grever	auferlegen, belasten
H			
Haber	credit, assets	avoir	Haben
Hipoteca	mortgage	hypothèque	Hypothek
I			
Implantación	introduction	implantation	Einführung
Imposición (en cuenta)	deposit	dépôt	Einlage
Impreso	printed form	formulaire	Vordruck
Impuesto	tax, levy	impôt	Steuer
Incapacidad	disability	incapacité, inhabilité	Unfähgkeit
Indemnización	indemnity	indemnité	Entschädigung
Inflación	inflation	inflation	Inflation
Infraestructura	infrastructure	infrastructure	Infrastruktur
Ingresos	income, revenue	revenu	Einkommen
Insolvencia	insolvency	faillite, déconfiture	Zahlungsunfähigkeit
Instancia	application form	instance	Eingabe, Bittschrift
Interés	interest	intérêt	Nutzen, Interesse, Zinsen
Intermediario	middleman	intermédiaire	Zwischenhändler
Inventario	inventory, stock taking	inventaire	Inventur
Inversión	investment	investissement, placement	Invenstition
L			
Letra de cambio	bill of exchange	lettre de change	Tratte, Wechsel
Liberalización	liberalization	libéralisation	Liberalisierung
Librado	drawee	tiré	(Wechsel-) bezogener, Wechselnehmer
Librador	drawer	tireur	Aussteller
Librecambio	Free trade	Libre échange	Freihandel
Libreta de ahorro	passbook, bankbook	livret	Bankbuch, Sparbuch
Licencia	licence	licence	Lizenz, Erlaubnis
Liquidez	liquidity	liquidité	Liquidität
Líquido	liquid, net	liquid, net	Flüssig, netto
Locomotora	engine	locomotive	Lokomotive
Lucro	profit, gain	profit	Gewinn, Profit
M			
Marca	trade mark, brand	marque	Marke
Marina mercante	merchant marine	marine marchande	Handelsmarine
Materia prima	raw material	matière première	Rohstoff
Mayorista	wholesaler	grossiste	Grosshändler
Mercado secundario	secondary market	marché secondaire	untergeordneter Markt
Mercancía	goods, merchandise	marchandise	Ware, (Handels-) gut
Mercantil	commercial, mercantile	mercantile	Handels-
Minorista	retailer	détaillant	Kleinhändler
Moda	fashion	mode	Mode
Monopolio	monopoly	monopole	Monopol

Español	Inglés	Francés	Alemán
Multilateral	multilateral	multilatéral	mehrseitiges
Multinacional	multinational	multinational	multinational
N			
Navegación	navigation	navigation	Schiffahrt
Navío	ship	navire	Schiff
Necesidad	need	besoin, nécessité	Bedarf, Nachfrage
Negociación	negotiation	négotiation	Verhandlung
Negocio	business	affaire	Geschäft
Nomenclatura	nomenclature	nomenclature	Verzeichnis
O			
Obligación	debenture, bond	obligation	Obligation
Oferta	offer, supply	offre	Angebot
Oficio	communiqué, official note	communication	amtliche Zuschrift, Antrag
Operación (bursátil)	transaction	opération	Börsengeschäft
P			
Pabellón	flag, banner	pavillon, drapeau	Flagge
Pagaré	provisory note, I.O.U.	billet à ordre, reconnaissance de dette	Schuldschein
Pago	payment	paiement, versement	Zahlung, Bezahlung
Paridad	parity	parité	Parität, Gleichheit
Paro	unemployment	chômage	Arbeitslosigkeit
Participación	sharing	participation	Beteiligung
Partida doble	double entry	partie double	doppelte Buchführung
Partida simple	single entry	partie simple	einfache Buchführung
Pasivo	liabilities	passif	Passiva
Patente	patent	brevet d'invention	Patent
Patrimonio	patrimony, estate, Wealth	patrimoine	Vermögen, Nachlass
Pedido	order	commande	Bestellung, Auftrag
Pérdida	loss	perte	Verlust
Plusvalía	betterment	appréciation	Planungsgewinn
Poder adquisitivo	purchasing power	pouvoir d'achat	Kaufkrat
Póliza	policy	police	Police
Porte debido	carriage forward FOB shipping point	en port dû	unfreies Porto
Porte pagado	carriage paid	port payé	franko (Porto)
Postal	postal	postal	Post-
Precio	price	prix	Preis
Prenda	pledge	gage	Pfand
Presión fiscal	tax burden	pression fiscal	Steuerdruck
Prestación	benefit	prestation	Leistung
Préstamo	loan	prêt	Darlehen
Presupuesto	budget	budget, devis	Haushaltsplan, Voranschlag
Previsión	forecasting	prévision	Voraussagen
Prima (seguros)	premium	prime	Prämie
Producción	production	production	Erzeugung, Produktion
Productividad	productivity	productivité	Produktivität
Productor	producer	producteur	Hersteller, Arbeiter
Productos manufacturados	manufactured goods	produits manufacturés	Industrierzeugnisse

Español	Inglés	Francés	Alemán
Propietario	owner, landlord	propriétaire	Eigentümer
Prosperidad	prosperity	prospérité	Prosperität
Proteccionismo	protectionism	protectionnisme	Protektionismus
Protesto	protest	protêt	Protest
Publicidad	publicity	publicité	Werbung
Q			
Quiebra	bankruptcy	faillite	Konkurs
R			
Razón social	trade name	raison sociale	Firmenname
Reaseguro	reinsurance	réassurance	Rückversicherung
Recibo	receipt	quittance, acquit	Quittung
Red	network	réseau	Netz
Reembolso	refund	remboursement	Rückerstattung
Regatear	to haggle, bargain	marchander	feilschen
Rendimiento	yield, output	bénéfice, rendement	Ertrag
Renta	revenue, income	revenu	Einkommen, Rente
Renta Nacional	National Income	Revenue National	Nationaleinkommen, Volkseinkommen
Rentabilidad	yield, profitability	rentabilité	Rentabilität
Rentable	profitable	rentable	rentabel
Repercutir	to affect	répercuter	auswirken
Responsabilidad	responsibility	responsabilité	Verantwortlichkeit
Riesgo	risk	risque	Risiko
S			
Saldo	balance	balance, solde	Saldo
Saldo de créditos y deudas	credit, debit balance	solde créditeur, débiteur	Debetsaldo, Sollsaldo
Seguros	insurance	assurance	Versicherung
Seguros de vida	life insurance	assurance sur la vie	Lebensversicherung
Servicios	services	services	Dienstleistungen
Siniestro	disaster	sinistre, catastrophe	Schadensfall
Sinusoidal	sinusoidal	sinusoïdal	sinusoidal
Sistema bancario	banking system	système bancaire	Bankwesen, Banksystem
Sociedad anónima (S.A.)	limited liability company	société anonyme (SA)	Aktiengesellschaft (AG)
Sociedad colectiva	partnership company	société en nom collectif	offene Handelsgesellschaft (OHG)
Sociedad comanditaria	limited partnership	société en commandité	Kommanditgesellschaft (KG)
Sociedad limitada	private limited company	société à responsabilité limitée	Gesellschaft mit beschränkter Haftung (GmbH)
Sociedad mercantil	trading partnership	société mercantile	Handelsgesellschaft
Socio	partner, member	associé, membre	Teilhaber, Partner
Suscripción	subscription	souscription	Zeichnung
Suspensión de pagos	suspension of payments	cessation des paiements	Einstellung der Zahlungen
Swap	Swap	Swap	Swap
T			
Tacógrafo	tacograph	tachographe	Tachograph
Talón	chèque, stub	chèque	Scheck
cruzado	crossed	barré	gekreutzer
nominativo	bearing a person's name	nominatif	Namensscheck

Español	Inglés	Francés	Alemán
a la orden	to the order of	à ordre	Orderscheck
al portador	bearer	au porteur	Inhaberscheck, Überbringerscheck
Tanto por ciento	rate per cent	pourcentage	Prozentsatz
Tarifa	rate, tariff	tarif	Tarif
Tarjeta de crédito	credit card	carte de crédit	Kreditkarte
Tesorería	treasury	trésorerie	Schatzamt
Tipo de interés	rate of interest	taux d'intérêt	Zinsfuss
Título	security, bond title	titre	Titel, Wertpapier, Effekte
Tomador	borrower	bénéficiaire	Wechselnehmer, Darlehensnehmer
Tonelaje	registered tonnage	tonnage	Tonnengehalt, Tonnage
Transferencia	bank transfer	virement bancaire	Banküberweisung
Tratado	treaty	traité	Abkommen
Tributo	tax	impôt	Steuer
Trueque	barter	échange, troc	Tausch
U			
Utilidad	profit, utility	utilité, revenu	Nutzen, Gewinn
V			
Valor añadido	value added	valeur ajoutée	Mehrwert
Valor efectivo	securities, effective value	valeur effective	Effektivewert
Valor nominal	face value, nominal value	valeur nominale	Nennwert
Vencimiento	maturity	échéance	Fälligkeit
Vía	rail, railway	voie	Weg, Bahngleis
Vías de comunicación	means of transport	voie de communication	Verkehrsweg